VIVA O DESPERTAR

PARA UMA NOVA VIDA

Lorena Alves Lacerda

Copyright© 2023 by Literare Books International
Todos os direitos desta edição são reservados à Literare Books International.

Presidente:
Mauricio Sita

Vice-presidente:
Alessandra Ksenhuck

Chief Product Officer:
Julyana Rosa

Diretora de projetos:
Gleide Santos

Capa:
Santuzza Andrade

Diagramação e projeto gráfico:
Gabriel Uchima

Revisão:
Leo Andrade

Chief Sales Officer:
Claudia Pires

Assistente de projetos:
Lidiane Ferreira

Impressão:
Gráfica Paym

Dados Internacionais de Catalogação na Publicação (CIP)
(eDOC BRASIL, Belo Horizonte/MG)

L131v   Lacerda, Lorena Alves.
　　　　　Viva o despertar para uma nova vida / Lorena Alves Lacerda. –
　　　　2.ed. – São Paulo, SP: Literare Books International, 2023.
　　　　　16 x 23 cm

　　　　　ISBN 978-65-5922-592-7

　　　　　1. Literatura de não-ficção. 2. Superação. 3. Autoajuda. I. Título.
　　　　　　　　　　　　　　　　　　　　　　　　　　　　CDD 158.1

Elaborado por Maurício Amormino Júnior – CRB6/2422

Literare Books International.
Alameda dos Guatás, 102 – Saúde– São Paulo, SP.
CEP 04053-040
Fone: +55 (0**11) 2659-0968
site: www.literarebooks.com.br
e-mail: literare@literarebooks.com.br

MISTO
Papel produzido a partir
de fontes responsáveis
FSC
www.fsc.org
FSC® C133282

DEDICATÓRIA

Dedico este livro a todas as pessoas que estão passando por grandes desafios na vida, principalmente os relacionados à saúde do corpo, e que buscam, como eu fiz, dedicar cada minuto de vida para aprender com eles e superá-los, porque amam viver.

Saibam que a solução já está em nós, sempre esteve e sempre estará. Que este livro seja um guia para seu processo de despertar, de descobrir, de se curar.

Sintam meu abraço carinhoso, cheio de amor e paz.

PREFÁCIO

*"Se eu tivesse mais alma pra dar eu daria,
isso pra mim é viver."*
Djavan

Enfim chegou o dia tão esperado: dia 15 de junho de 2018. Finalmente, eu realizaria um de meus projetos mais preciosos: um encontro de um dia com quatrocentas mulheres do agronegócio, com diversas palestras, painéis, debates sobre gestão, liderança e governança.

Foi quase um ano de preparação cuidadosa de cada detalhe, de forma a realizarmos um evento magnífico, que ficaria na memória de cada participante como um dia especial e muito valioso.

A atuação de minha empresa, Grupo Valure, no estado de Mato Grosso, cuja vocação para o agronegócio é inquestionável, nos levou a sonhar e a planejar aquele momento, que significava um marco de nossa bem-sucedida atuação no setor.

Mas meu coração estava dividido!

Melhor dizendo: ele estava anestesiado.

Cheguei bem cedo, olhei o espaço todo decorado, belíssimo, e senti a alegria de estar ali.

Ao mesmo tempo, senti a ansiedade de saber que, no final daquele dia tão precioso, eu receberia o resultado da biópsia que havia feito dois dias antes.

O dia passou como um sonho, eu estava presente em dois mundos, o externo e o interno.

Conduzi todo o evento, como coordenadora das atividades, da melhor forma que pude, dando meu empenho máximo para tornar o dia daquelas quatrocentas mulheres inesquecível, com tudo aquilo que prometemos. Eu senti cada hora do dia se passar e, assim, se aproximar da hora de eu sair do evento finalizado e ir diretamente ao hospital, para ser atendida por meu primo Dr. Lauzamar Salomão Jr., cirurgião oncologista, que avaliaria minha biópsia e me daria o diagnóstico.

Quando finalmente chegou a hora de ir, eu olhei para o salão se esvaziando, com as pessoas saindo, agradecendo, felizes, e senti que estava me despedindo daquela vida, que algo novo iria começar.

Para uma pessoa controladora como eu sempre fui, estar diante do desconhecido era simplesmente angustiante, mas eu nada podia fazer a não ser enfrentá-lo.

E foi assim, com toda a força que eu sempre tive e com o apoio de meu esposo Mário e de minha irmã médica Ana Lucia, que segui para o consultório de meu primo.

Com os olhos cheios de tristeza, foi ele quem recebeu a tarefa de me dizer que eu estava com câncer de mama localmente avançado, pois havia, também, linfonodos axilares comprometidos com a doença.

Foi um momento surreal. Um buraco se abriu no chão. E eu poderia ficar ali, escondida para sempre, para não precisar lidar com o que vinha pela frente.

Mas eu escolhi sair daquele buraco, olhar para céu e encontrar forças na fé que sempre tive, de que tudo é aprendizado para nossa evolução pessoal. Eu recebi um diagnóstico, mas não aceitei um prognóstico baseado em estatísticas que não falam nada sobre mim, sobre minha força, sobre meu poder de criar a minha própria realidade.

Foi assim que começou minha jornada de despertar.

Despertar para a vida real, sair da ilusão de que tudo é só aquilo que vemos. Despertar para a minha profunda transformação, que me trouxe aonde estou hoje: num lugar em que estar em paz e compartilhar do mais profundo amor por todos os seres é minha prioridade.

Eu ouvi e acolhi o chamado.

E decidi viver o despertar, por mim e por todos aqueles que desejam acordar para uma vida plena.

Ao decidir que iria compartilhar minha jornada de cura da minha alma por meio deste livro, me lembro do arrepio que senti em todo o meu corpo, como se estivesse finalmente compreendendo a minha missão nesta vida.

Desejo, de todo o coração, que cada compartilhar meu por aqui possa ajudá-los a encontrar respostas em sua própria jornada de transformação.

Gratidão por suas vidas, por vocês estarem aqui comigo.

Por sua confiança. Por sua escolha.

INTRODUÇÃO

"A maior glória de viver não está em nunca cair,
mas em nos levantar toda vez que caímos."
Nelson Mandela

Nasci em Uberaba/MG, fruto do desejo de meus pais de terem nada menos que dez filhos. O desejo deles não se concretizou, mas chegou perto... Somos sete irmãos, considerando minha irmã mais velha que, infelizmente, morreu no parto. Então, imaginem o trauma vivido por minha mãe ao perder sua primeira filha no parto. Com certeza, isso trouxe profundas consequências para a vida dela e para a vida de todos nós, seus filhos, pois sentimos seu medo em cada uma das futuras gestações que ela teve, além do sentimento de culpa que a atormentou por muitas décadas, de que ela poderia ter feito algo diferente que evitasse aquela perda tão dolorosa de minha irmã mais velha, Yasmin.

Após passarmos por um período de grandes dificuldades financeiras em Uberaba, nos mudamos para Cuiabá, onde meus pais finalmente conseguiram se estabelecer profissionalmente, apesar dos desafios de uma família grande. Meus pais precisavam trabalhar fora para sustentar nossa família, portanto foi assim que crescemos, uns cuidando dos outros, da forma como conseguíamos. Em meio a seis irmãos, sentir-se único é algo desafiador...

Meus pais, para darem conta daquela árdua tarefa de criar tantos filhos, muitas vezes precisaram tomar decisões que pareciam ser o melhor para todos, mesmo que um de nós se sentisse injustiçado no processo.

E foi assim que cresci, entre irmãos, numa família bastante unida, porém com diversos conflitos, como acontece com toda e qualquer grande família. Percebo que daí, desde muito criança, surgiu uma necessidade enorme de eu me sentir única e especial.

Por isso eu me esforcei muito: desde muito nova, eu estudava para sempre tirar nota dez, com uma disciplina e foco pouco típicos da idade.

E assim foi, também, meu comportamento durante toda a minha adolescência, com grande senso de responsabilidade e uma liderança nata, que reforçava meu gênio difícil, autoritário e impaciente, gerando diversos conflitos em casa, principalmente com meu pai, cuja personalidade autoritária eu herdei. Durante a adolescência, minha autoestima mostrava-se muito baixa, eu me sentia fisicamente feia pelo excesso de magreza, pelos cabelos rebeldes, pelo nariz comprido, traço que herdei da parte libanesa da família e que eu considerava "defeitos", simplesmente por estarem fora dos padrões de beleza da época.

Com isso, cada vez mais eu buscava o reconhecimento, sentir-me importante, amada, valorosa, nos meus feitos estudantis.

Passei em primeiro lugar no vestibular para Administração na Universidade Federal de Mato Grosso, e me tornei uma aluna exemplar, num nível muito elevado de autocobrança para com os estudos.

Aos dezoito anos, eu fui aprovada em um concurso público federal e me tornei servidora pública do Ministério Público da União, ganhando independência financeira.

Sem dúvidas, eu sentia uma grande necessidade de estar sempre entre os primeiros, entre os melhores. Era a minha fonte de motivação. Aos dezenove anos, decidi me casar com meu namorado havia apenas seis meses, o que com certeza chocou a meus pais e a todos os que me amavam, mas ninguém conseguiu me dissuadir dessa decisão.

Minha postura independente, de ser "dona de mim", já com liberdade financeira, me impediu de ouvir qualquer conselho contrário ao que eu desejava para minha vida.

Eu só queria me sentir livre e conquistar os meus sonhos, que se materializavam na forma do empreendedorismo que sempre esteve em minhas veias, herdado de minha avó libanesa Yasmin.

Eu obtive excelentes resultados em minha experiência na área pública, porém sentia que poderia voar mais alto, queria ser desafiada e conquistar mais. Meu principal drive, o que direcionava minha energia, era sempre fazer mais, realizar mais, conquistar mais. Era nesse universo que eu me sentia segura, projetando no mundo uma imagem de autossuficiência e independência. Então, aos vinte e três anos de idade, aceitei um convite de uma grande amiga, Alba Medeiros, e abri uma empresa de consultoria, na qual trabalhava quando não estava no meu cargo público, em uma jornada total de mais de quatorze horas de trabalho diário, unindo as duas atividades, na nova empresa e no cargo público.

A sociedade durou pouco tempo, porque minha sócia decidiu seguir outro caminho. Eu então continuei, sozinha.

Pouco tempo depois de abrir a empresa, eu engravidei de minha primeira filha, Yasmin, e percebi que precisava fazer uma escolha, pois atuar em um cargo público, ter uma empresa em fase de estruturação e um bebê de colo não era, nem de longe, algo que eu desejava para mim. Eu sabia que precisava escolher, fazer uma opção que me permitisse ir mais longe.

E minha decisão foi a de pedir exoneração de meu cargo público. Muitos me disseram: "Você está louca!? Vai deixar um cargo público federal por uma empresa que está só começando? E sua estabilidade? E o salário e benefícios que você tem?". E eu respondia: "Louco é quem me diz que não é feliz". E assim, segui meu caminho no empreendedorismo, sem nenhum dia sequer ter me arrependido de minha decisão.

Eu sabia que tinha nascido para voar alto e não me identificava com o serviço público, pois sentia que as atividades que eu desempenhava estavam aquém de minha capacidade de realização e que não me levariam a realizar os sonhos que tinha, de me tornar alguém muito próspero e relevante no mundo. Ao menos eu não conseguia, na época, perceber que estar ali, naquele cargo público, pudesse me permitir viver meus sonhos.

Com a decisão, então eu pude me dedicar 100% para minha empresa, uma consultoria na área de Recursos Humanos.

Meu sonho de empreender e prosperar finalmente se concretizava dia após dia, com minha empresa crescendo de forma acelerada.

Decidi que iria torná-la a melhor empresa nesse setor do estado e, quem sabe, do País. Decidi que iria estudar onde quer que fosse, para trazer muito conhecimento em forma de novos serviços da empresa. Que minha empresa seria diferente.

Decidi que iria trazer para trabalhar comigo os melhores profissionais e adquirir as melhores ferramentas.

Eu queria a excelência, o topo.

E não medi esforços para fazer isso acontecer.

A empresa foi crescendo, e eu fui me doando cada vez mais ao meu negócio. Meu casamento estava em crise e, cerca de um ano após nascer minha segunda filha, decidimos, de comum acordo, nos separar.

E eu me afundei ainda mais no trabalho, porque era o que eu acreditava que precisava fazer e era o que me dava o sentimento de realização que preenchia um vazio importante dentro de mim.

Eu tinha, naquele momento, ainda mais razões para trabalhar de forma insana: eu era a fonte do sustento de minhas filhas, do futuro que eu desejava para elas. Um pouco mais de um ano após eu me separar, conheci meu esposo Mário, por quem me apaixonei mesmo à primeira vista.

Mário se tornou um segundo pai para as meninas, e um parceiro extremamente apoiador, que vibrava com minhas conquistas e me dava todo o suporte de que eu precisava para voar... Ele compartilhava de minhas crenças sobre dedicação ao trabalho e alta performance.

Fiz diversas viagens para estudar e trabalhar fora do Brasil, tornei-me fluente em inglês, me formei como *Coach* pelo Hudson Institute of *Coaching* na Califórnia/EUA, fiz MBA executivo na Fundação Dom Cabral, cursei pós-graduação (MBA) em Kellog, nos EUA, participei de diversas conferências internacionais, montei uma parede inteira de certificados e assim foi por praticamente dez anos. E meu esposo sempre me apoiando e cuidando das meninas, junto com as queridas babás que sempre tivemos.

Apesar de eu me sentir extremamente motivada por aquela vida de tantos afazeres, com tanto trabalho, viagens e responsabilidades, eu me sentia culpada por não dedicar mais tempo às minhas filhas, por desejar tanto viajar para conhecer o mundo.

Quando estava em casa, sentia vontade de estar viajando e aprender novos métodos.

Quando eu estava viajando, me sentia culpada por não estar com minhas filhas e esposo. Eu vivia desconectada do momento presente, cheia de culpa.

O tempo foi se passando e esse cenário foi ficando mais e mais desafiador. As horas do dia e os dias da semana não eram suficientes para tantos compromissos e eu usava os finais de semana e as noites para finalizar o que não havia conseguido nos dias úteis.

E, para piorar o sentimento de culpa, ao dar meus treinamentos de liderança ou fazer uma sessão de *coaching*, eu me sentia hipócrita ao incentivar líderes a desenvolverem uma vida mais equilibrada, com melhor gestão do tempo, quando eu mesma não experimentava dessa realidade.

Meu esposo começou então a mudar de atitude, a reclamar da minha pouca atenção a ele e à família, me lembrando que eu sequer almoçava mais pois estava com o celular o tempo todo, trabalhando ou fazendo algo que não era estar ali presente com ele e com as meninas.

Eu comecei a sentir os efeitos daquela vida de excessos em meu corpo: os alimentos já não me caíam bem, tinha calores à noite que não se justificavam pelos exames hormonais regulares, me sentia triste e com humor muito oscilante.

Via-me com muita frequência perdendo a paciência pelas razões mais insignificantes, com enorme dificuldade de me comunicar de forma assertiva nas horas difíceis, tanto em casa como na empresa, com a equipe. Comecei a questionar minha vida: sentia que algo estava muito errado, pois senti que fui perdendo a motivação para quase tudo, fazia as tarefas apenas pelo enorme senso de responsabilidade que era minha marca registrada.

Hoje eu sei que aquele "senso de responsabilidade", que beirava a obsessão, foi fruto do medo da escassez.

Eu temia passar novamente pelas dificuldades financeiras que vivi quando criança.

E assim eu vivia meus dias, trabalhando, trabalhando, trabalhando, me sentindo culpada, com medo, cansada e impotente para mudar.

Então chegou o dia do diagnóstico. É como se meu corpo já soubesse, minha alma já soubesse, mas minha mente consciente, não.

Aos quarenta e dois anos de idade, sem histórico de câncer na família, como eu poderia sequer imaginar que isso um dia aconteceria comigo? Mas aconteceu e eu decidi lidar com aquele "problema" do mesmo jeito que sempre lidei com meus desafios profissionais: com excelência digna de um prêmio de alta produtividade.

Decidi que eu iria aprender tudo que podia sobre o câncer de mama, as possíveis causas, os tratamentos convencionais e alternativos, tudo que estivesse relacionado à doença e o que eu poderia, na ilusão de ter controle, fazer a respeito. Lembro-me de elaborar um plano de ação formal, que contemplava todas as ações que eu iria fazer para me curar.

Começava, então, meu tratamento para o câncer de mama triplo negativo localmente avançado.

Na semana seguinte ao diagnóstico, eu já estava em quimioterapia, que durou cerca de cinco meses.

Em seguida veio a adenomastectomia bilateral e mais trinta sessões de radioterapia.

Como a quimioterapia não apresentou resposta completa (ainda havia células cancerígenas na análise da mama retirada na cirurgia, mesmo após o tratamento quimioterápico finalizado), eu também passei por uma quimioterapia oral por mais cinco meses.

Foram, ao todo, quatorze meses de tratamento, que me trouxe sequelas como entrar precocemente na menopausa e hipotireoidismo.

Logo no início do tratamento, com todas as pesquisas e livros que li, eu descobri que apenas cerca de 10% dos cânceres eram genéticos. Fiz todos os exames e o resultado (graças a Deus!) foi que eu não tinha herança genética para o câncer de mama.

Descobri, então, que já havia muitas pesquisas e médicos apontando que o câncer era resultado do desequilíbrio físico, mental e emocional do corpo. Diante dessa compreensão, decidi que iria buscar o equilíbrio, para além do tratamento convencional que eu seguiria à risca, com uma dedicação e disciplina dignas de atletas olímpicos. Eu, sendo eu...

Por isso, mudei diversos hábitos.

Mudei minha alimentação, passei a praticar atividades físicas diariamente, passei a meditar, intensifiquei a terapia, fiz cirurgias espirituais, usei da medicina ortomolecular com vitaminas e diversos outros compostos. Busquei a medicina integrativa para fazer procedimentos que se mostravam, em inúmeras pesquisas e estudos, altamente eficazes na melhoria dos efeitos colaterais do tratamento do câncer, além de estudo correlacionando redução do tamanho de tumores e de metástases ao uso do ozônio, enema de café, soroterapia com altas doses de vitamina C e terapia neural, principalmente.

Voltei para a ioga, que eu tinha parado há alguns anos, intensifiquei o Pilates e, ainda, iniciei o processo de mentoria com Patrícia Figueiredo, que apoia, com seus programas, mulheres com câncer de mama.

Ter o apoio da Paty, como carinhosamente a chamo, foi fundamental para que eu fosse ganhando tranquilidade dia após dia, compreendendo melhor o processo interno que estava acontecendo comigo.

Reduzi muito meu ritmo de trabalho, principalmente durante os quatorze meses de tratamento.

Porém, mesmo trabalhando menos, meu ritmo de vida continuava igual: cheio de compromissos pelo tratamento convencional e integrativo; me via correndo de um lado para o outro para cumprir a agenda com maestria.

Não me permitia chorar, nem sentir medo, me cobrava o tempo todo para manter uma atitude positiva, porque eu tinha medo de que emoções negativas pudessem piorar meu quadro.

Eu havia concluído que a causa de eu estar com câncer fora o ritmo de trabalho, o estresse todo que permiti em minha vida até aquele ponto. Então eu aprendi a dizer não e a priorizar o tempo para cuidar de mim, porém sem as pausas necessárias, sem olhar para o descanso como deveria. E assim foram meus quatorze meses. Terminado o tratamento, era tempo de celebrar.

Tempo para viajar, para realizar sonhos como ver a aurora boreal na Noruega. Meu esposo, que esteve 100% ao meu lado durante todo o tratamento, me amando e cuidando de todas as minhas necessidades com um amor indescritível, só queria me ajudar a realizar meus desejos.

Tudo que eu queria fazer eu sabia que poderia contar com ele, que estava ali para me apoiar, como sempre.

O tempo do tratamento passou, aos poucos a vida foi se "normalizando" e eu fui sentindo novamente a pressão do trabalho.

Durante o tempo em que eu estive em tratamento, minha equipe me poupava de muitas situações cotidianas, se dedicando ao máximo para resolvê-las sozinha, no intuito de não me gerarem preocupações.

Chegou então a pandemia da covid-19, trazendo uma enorme carga de tensão para administrar um momento de crise tão intenso, para manter o negócio, os clientes, a receita da empresa.

O emocional da equipe e de todos os envolvidos estava abalado, e eu estava da mesma forma, se não pior.

Durante todo o ano de 2020, eu continuei com inúmeras atividades de cuidado com a saúde física, com agenda ainda mais intensa pelo *home office*, lidando com todo o medo da dificuldade financeira que poderia estar se aproximando em virtude do cenário global da pandemia.

E foi nesse contexto que, em novembro de 2020, em um dos exames de rotina, meu oncologista identificou um nódulo suspeito em meu pulmão esquerdo.

Por ser muito pequeno, ele recomendou que repetíssemos o exame após sessenta dias, para checar se se justificaria uma biópsia pulmonar, procedimento com nível alto de risco para ser feito em nódulo tão pequeno.

Decidi seguir essa recomendação, apesar de algo dentro de mim me dizer que o câncer estava de volta.

Eu não queria passar o Natal em quimioterapia e gerar tanta tristeza para meus pais, para minhas filhas, em um momento já tão difícil para todos. Já ali, em novembro, diante daquela indefinição e suspeita, eu decidi que precisava mudar algo mais em minha vida, só não sabia o que fazer e onde obter as respostas que me ajudassem a compreender aquela situação. Eu só sabia que deveria orar mais, conectar-me com Deus e lhe pedir sabedoria para saber o que fazer. E foi assim que, num dia de dezembro de 2020, me vi sentindo vontade de ler novamente um dos livros que havia lido nos primeiros meses do tratamento, em 2018: *Quebrando o hábito de ser você mesmo*, do Dr. Joe Dispenza.

É tão interessante como cada livro se torna diferente para nós dependendo do momento da vida em que o lemos! Parecia que era a primeira vez que eu estava lendo aquele livro! Debrucei-me sobre ele com a ânsia de encontrar respostas e me preparar para algo que poderia estar chegando.

Comecei imediatamente a praticar as meditações que o autor ensina no livro, o que eu ainda não havia ainda feito de forma intensa e regular.

Então, em janeiro de 2021 fiz o PET scan, que mostrou áreas de captação intensas não somente no pulmão, mas também na mama em que o câncer se manifestou da primeira vez...

Uma área de cerca de dois centímetros, que foi biopsiada para se confirmar a recidiva do câncer, com metástase pulmonar.

Muito mais do que no primeiro diagnóstico, naquele momento eu senti que a morte era certa. Por três dias, chorei como nunca.

Compartilhei a triste notícia somente com a família e amigos íntimos, e decidi não postar nada em mídias sociais, como fiz da primeira vez.

Eu me sentia triste e ao mesmo tempo fracassada por "não haver me curado do câncer". Culpa e medo, num nível intenso.

Como eu já estava, desde novembro, em processos meditativos intensos, consegui, cerca de três dias após a notícia, reencontrar o equilíbrio. Ergui a cabeça e decidi acreditar que algo maravilhoso poderia estar logo à frente, que eu poderia sim me curar, que meu corpo tinha aquele poder. O tratamento se iniciou imediatamente, com quimioterapia semanal e imunoterapia quinzenal, além de todos os cuidados com a saúde, que se redobraram, pois eu sabia que precisava ajudar meu corpo de todas as formas. Após três meses de tratamento, o PET scan mostrou que a captação no pulmão havia desaparecido, mas na mama estava mais intensa.

Foi motivo, para mim, de celebração, porque a preocupação com médicos, em casos metastáticos, é o que chamam de contexto "sistêmico", ou seja: a preocupação de que o câncer se espalhe para outros órgãos.

Diante daquele resultado, a decisão de meu oncologista foi a de se fazer radioterapia localizada, atingindo diretamente a área do tumor na mama. Fiz o procedimento e continuei a quimio e a imuno como já vinha fazendo desde janeiro.

Após três meses, em julho de 2021, o PET scan mostrou que todas as áreas de captação haviam desaparecido.

Parei então a quimio e mantive somente a imunoterapia.

Durante os seis meses de tratamento, no primeiro semestre de 2021, eu passei por um tratamento integrativo intenso, com algumas técnicas que não havia recebido antes, na clínica do Dr. Gustavo Vilela, em São Paulo. A medicina integrativa une diversos procedimentos aos tratamentos convencionais, de forma a ajudar o corpo no processo de cura.

Eu sei que todos os tratamentos tiveram sua relevância e contribuição para o quadro de recuperação do meu corpo, de cura da doença, mas eu tenho certeza de que a mudança que experimentei em mim mesma, ao me tornar uma nova Lorena, me possibilitou uma perspectiva diferente de tudo que me aconteceu, de minha vida como um todo.

E isso teve um impacto em mim que eu nunca imaginaria ser possível! Porque eu passei a me sentir tão conectada com algo maior, com uma paz e alegria indescritíveis, num nível de confiança de que tudo está bem, não importa o quão difícil seja, que só de escrever sobre isso me emociono.

Decidi, então, que eu iria compartilhar todos os meus aprendizados desses mais de três anos de tratamento. Porque mais pessoas podem se beneficiar destes conhecimentos para curar suas vidas, não apenas seus corpos físicos! Para que fosse mais didático, escolhi dividir o livro em três pilares: corpo, mente e espírito, por ser a integração deles o caminho da verdadeira cura. Em cada pilar, detalharei como eu consegui reequilibrar cada um desses três aspectos fundamentais para uma vida plena, extraordinária. Apesar de ter dividido o livro nestes três pilares, eles estão completamente interligados! Porque, por exemplo, não há como ter saúde física sem ter saúde emocional. E não se mantém saúde emocional sem se desenvolver o espiritual. E assim por diante, todos os fatores interligados. Começo o livro pelo pilar "corpo", depois apresento o pilar "mente" e, somente no final, o pilar "espírito". Hoje eu sei que todos os três pilares devem ser cuidados de forma simultânea.

Convido você a fazer uma profunda reflexão sobre cada um desses pilares em sua própria vida, tomando a decisão de elevá-los para um nível mais alto de satisfação, de equilíbrio.

Não escrevi este livro apenas para quem está passando pelo câncer, porque os princípios da felicidade são os mesmos, aplicados a todos os contextos. Este livro é útil para toda e qualquer pessoa que deseje uma nova vida, plena de alegria, amor, prosperidade, saúde e paz.

Todos somos merecedores de uma vida assim!

Uma vida extraordinária.

SUMÁRIO

PARTE 1: O CORPO

1. ALIMENTAÇÃO 29
2. ATIVIDADE FÍSICA 41
3. DESCANSO 47
4. UM NOVO MODELO 55

PARTE 2: MENTE

5. EMOCIONAL 59
6. PROFISSIONAL 75
7. RELACIONAMENTO ÍNTIMO 91
8. FAMÍLIA 105

9. LAZER E VIDA SOCIAL 121

10. AUTODESENVOLVIMENTO 133

PARTE 3: ESPÍRITO

11. CONTRIBUIÇÃO PARA O MUNDO 141

12. ESPIRITUALIDADE 147

13. MEDITAÇÃO 157

14. O CAMPO QUÂNTICO 169

15. MENSAGEM FINAL 181

PARTE 1
O CORPO

"Cuide bem do seu corpo.
Ele é o único lugar que você tem para viver."
Jim Rohn

[
u vivi no modo "emergência" por vários anos.
Permiti que os hormônios do estresse desequilibrassem meu corpo, gerando a doença.
Senti emoções menos elevadas por um tempo muito grande.
Até que eu recebi, com o diagnóstico, o convite para mudar de rumos. E aceitei o convite.

O que apresento aqui, como meus aprendizados sobre cuidados com a saúde do corpo físico, são hábitos e práticas já recomendados por diversos médicos do Brasil e do mundo.

Nos anos de tratamento, eu estive em contato com profissionais da saúde de diversas especialidades: oncologistas, mastologistas, radioterapeutas, médicos integrativos, homeopatas e nutricionistas. Posso dizer que a imensa maioria deles concorda com a importância dos cuidados com alimentação, atividade física e descanso para o processo de cura e recuperação do corpo. Claro que também há muitos exemplos contrários, de médicos que dizem a seus pacientes para "comerem o que bem entenderem", além de hospitais e clínicas que oferecem para seus pacientes refeições altamente inflamatórias para o corpo, com muito açúcar, farinhas brancas e conservantes, entre outros aditivos.

Hoje, após anos de tratamento e vendo claramente o impacto de tudo que fiz e do que me tornei, sou uma defensora ferrenha de todos esses cuidados. Desejo que os estudos e pesquisas avancem cada vez mais para provar, em larga escala, a importância de reequilibrarmos o corpo com hábitos saudáveis, não somente para a prevenção de doenças, mas para a cura completa. Sugiro que você, como eu, busque ler e estudar profundamente sobre a saúde em todos os seus pilares-chave, que apresento agora nos próximos capítulos. Assumir o controle de suas decisões pressupõe ter o conhecimento necessário para saber fazer as escolhas que você sente que irão lhe trazer o que deseja. Conheci pacientes de câncer que não queriam saber sobre a doença que estava em seus corpos, delegando para os médicos 100% das decisões a serem tomadas durante o tratamento.

Eu não agi assim. Claro que confio em meus médicos. Mas a medicina não é uma ciência exata! Há pessoas nas quais um tratamento tem 100% de resposta positiva e em outras, 0%. Por que essa diferença?

Porque cada pessoa tem um ambiente corporal distinto, que reage de forma diferente aos tratamentos, medicamentos e procedimentos.

Por mais que haja estatísticas e que os médicos precisem utilizá-las para tomarem as decisões ao longo do processo, não há certezas absolutas quanto aos resultados finais. Portanto cabe a nós, chamados de "pacientes", sairmos do lugar de passividade e assumirmos o protagonismo de nossa cura. E, para isso, precisamos estudar, entender, fazer escolhas.

E é isso que recomendo a você em relação a tudo que irá ler neste livro. Não importa se você tenha ou não alguma doença grave, este livro irá ajudá-lo dando mais informações para melhores escolhas, para curar ou para prevenir. Afinal, quem não deseja envelhecer com saúde? Eu quero longevidade saudável, de forma que eu esteja lúcida e com vigor físico aos noventa anos... Quem sabe cem? Não desejo chegar à velhice em uma cadeira de rodas ou com sérios problemas relacionados à mente. E sei que temos um papel fundamental para esse cenário. São nossas escolhas, ao longo de anos, que nos levarão ao cenário futuro. Qual cenário você deseja para si? Vamos falar de saúde do corpo físico.

1

ALIMENTAÇÃO

> "Somos o que comemos."
> Emílio Peres

Meu relacionamento com a alimentação mudou muito ao longo da vida. Na minha infância, minha mãe e meu pai tentaram implementar em nossa rotina alimentos saudáveis: verduras, legumes e frutas.

Porém imagine o desafio de criar seis filhos, com diferença de idade de no máximo quatro anos, incluindo gêmeos.

Imagine, na hora do almoço, insistir para que cada filho comesse o prato de salada... Pois é, missão quase impossível.

Então, cresci com a dieta que a maioria dos brasileiros de classe média segue: arroz, feijão, bife, batata frita e, no máximo, salada de alface com tomate.

Com cafés da manhã, lanches e jantares os mais práticos possível.

Muito pão, leite com achocolatado, margarina, queijo e iogurte (mineiros amam laticínios, claro).

Eu sempre fui muito magra e sofri por isso: me puseram o apelido de "Olívia Palito", em alusão à namorada do Popeye (para quem se lembra...), o que me causava grande constrangimento e vergonha de, por exemplo, mostrar minhas pernas usando uma saia. Cheguei a tomar produtos naturais para engordar, porém não fizeram a menor diferença em minha forma esquelética. Por volta dos meus quinze anos, eu decidi que não tomaria mais refrigerante, porque descobri que era uma das principais causas da celulite (ao menos eu entendi assim na época).

Quando me casei e fui cuidar de minha própria casa, em meu novo núcleo familiar, levei comigo os mesmos hábitos de alimentação previamente relatados.

Então, até por volta de meus trinta e poucos anos, minha dieta sempre foi baseada no que se tinha de mais prático (e "saboroso") para comer. Meu metabolismo era excelente; engordar nunca foi um problema, mesmo eu amando doces (eu me auto apelidei de "formiguinha" por isso) e ficando um pouco acima do peso ideal, eventualmente.

Mas a partir dos quarenta anos, eu comecei a sentir mal-estar com diversos alimentos. Começou com o iogurte, no qual eu era completamente viciada. Comia e sentia azia imediatamente. E eu percebi que o peso já não voltava ao que era antes, mesmo com as dietas da moda que eu experimentava para perder alguns quilos extras (nunca fui muito fã de dietas, não).

Fui, então, atrás de um endocrinologista para fazer avaliações, no intuito de estar no peso ideal por uma questão estética, muito mais do que preocupada com minha saúde, confesso.

A partir dessa idade, comecei a sentir desconforto gastrointestinal e também leve taquicardia quando comia doces, pão, bolos e frituras.

Eu me sentia mal, porém continuava comendo praticamente a mesma coisa.

Eventualmente, eu tomava algum remédio para ajudar a digestão, principalmente comprimidos de lactase, por causa da intolerância ao leite de vaca, diagnosticada nos exames com a endocrinologista.

Com as diversas viagens profissionais que fazia, era comum acordar cada dia em uma cidade, visitando clientes em todo o estado, no País e/ou no mundo.

Comer em aeroporto, em hotel, era mais do que comum.

E eu não pedia salada, não... Pedia o que me parecia ser mais apetitoso no menu do restaurante.

Nunca fui interessada em cozinhar e minha família inclusive brincava comigo porque que nem arroz eu sabia fazer.

Além de me alimentar de forma desregulada, comendo o que tinha para comer ou que eu sentia vontade pelo paladar mal-acostumado, eu também cometia um outro erro: fazia minhas refeições sempre apressada.

Meus cafés da manhã eram com frequência dentro do carro, engolindo de qualquer jeito a comida, de forma a conseguir chegar pontualmente nos meus compromissos (eu sempre fui obsessiva com pontualidade).

Minhas refeições eram, então, basicamente, o que eu sempre havia comido toda a minha vida: muito carboidrato (massas e pães), gorduras saturadas (frituras, embutidos, carnes gordas), proteínas (principalmente da carne vermelha e do frango), laticínios (muito queijo e iogurte) e açúcares (dos doces, principalmente; eventualmente, de frutas).

Eu praticamente não ingeria verduras ou legumes. Não gostava do sabor. Minha alimentação, em resumo, não promovia saúde e me provocava diversos desconfortos como azia, má digestão, dor de cabeça e alergias de pele. Claro que busquei tratamentos e suplementos vitamínicos, comecei a reduzir o consumo de tudo aquilo que eu sentia que me fazia mal, porém não deixei de comer aquilo, afinal, o sabor de tudo aquilo era, na época, irresistível para mim. Nessas horas, temos tantas pessoas ao nosso redor passando pelo mesmo quadro, em que um apoia o outro a continuar do mesmo jeito, porque parece que esse é o "normal", então a gente praticamente se acostuma àquela realidade, brincando com o tema "idade" e achando natural passar o dia entre um mal-estar e outro, tomando antiácidos para aliviar os efeitos no corpo. Porém, o que mais me incomodava mesmo eram as crises constantes de infecção urinária e enxaqueca.

Eu tomava pouca água; muitas vezes de forma deliberada por estar dando aula e não querer interrompê-las para ir ao banheiro.

Tinha uma infecção atrás da outra, cheguei a tomar, por um ano inteiro, antibióticos todos os dias, num tratamento "preventivo" que um urologista me passou.

Para as dores fortes de cabeça, a solução era tomar cada vez remédios mais fortes, enquanto me sentia impotente pensando em como eu poderia ir ao médico com uma agenda de compromissos tão intensos.

E foi exatamente por isso, pelo meu exagerado nível de dedicação para com meu trabalho e meu baixo nível de compromisso com minha saúde, que eu adiei por dois meses o ultrassom de mamas que eu precisava fazer para saber o que era aquele caroço na minha axila que havia surgido de uma hora para outra. Eu percebi o caroço em abril; porém tinha tantas viagens agendadas que fui deixando para lá... Até que um dia, já em junho, eu senti fortemente que deveria ir ao médico imediatamente e pedi à minha assistente que encaixasse uma consulta do jeito que pudesse. Hoje eu sei que fui inspirada a ir fazer aquele exame naquele momento, porque, se dependesse de como eu me priorizava, eu iria esperar ainda mais para descobrir que estava com câncer.

Sabemos que quanto mais precocemente se descobre um câncer, maiores são as chances de cura pela medicina tradicional.

Assim era meu relacionamento com minha alimentação: comendo o que era mais fácil ou saboroso, sentindo o mal-estar no corpo e deixando exames e visitas aos médicos para o último lugar na minha lista de prioridades.

E isso é muito, mas muito comum no mundo dos negócios.

Lembro-me perfeitamente de uma das sessões de *coaching* que eu estava conduzindo com uma cliente minha, CEO de uma grande empresa, em que ela compartilhou comigo que havia ido ao médico que a informou da necessidade de ela retirar o útero o quanto antes.

E ela, prontamente, respondeu a ele:

— Doutor, sem chances, não tenho a menor condição de fazer isso agora.

Ele lhe perguntou, então: "Mas você não tem convênio médico?". E ela respondeu:

— Tenho, sim. Só não tenho tempo para isso agora.

Seria cômico se não fosse tão trágico.

Eu hoje percebo claramente os absurdos que cometi com meu corpo. Já pedi perdão inúmeras vezes e não me culpo mais por isso, porém me culpei por muito tempo, ao descobrir o câncer.

À medida que estudava sobre o assunto e acessava diversos autores que relacionam fortemente a alimentação ao câncer, eu fui ficando mais e mais ansiosa, me sentindo culpada por ter me alimentado tão mal por todo aquele tempo. Culpada por ter permitido todos os sintomas, que começaram leves, e que eu controlava por meios paliativos, com remédios que infelizmente estão cada vez mais nas bolsas das pessoas... Remédios para dor de cabeça, para azia e má digestão, para constipação (ou prisão de ventre)... A tal "solução fácil", que é um convite para que fiquemos exatamente no mesmo lugar, sem mudança alguma dos hábitos que sem dúvidas levarão às doenças. Após o diagnóstico e com todo o estudo que fiz sobre alimentos versus câncer, comecei a sentir medo dos alimentos, naquela linha do "não coma, isso dá câncer". Além do medo do câncer em si, eu ainda tinha a "tarefa" de me alimentar de forma a ter menos efeitos colaterais da forte quimioterapia que eu havia iniciado, num protocolo chamado de "denso", em que, em vez de vinte e um dias de intervalo entre as sessões, eu fazia intervalos de quatorze em quatorze dias, em virtude do tipo de câncer e do estágio em que ele foi descoberto (já nos linfonodos axilares).

Durante a primeira fase do tratamento, em 2018 e 2019 principalmente, eu procurei aprender tudo que poderia sobre alimentação saudável.

Li diversos livros, entre os quais destaco o *Anticâncer*, de David Servan-Schreiber, que fala sobre os alimentos que, segundo os estudos e pesquisas que citados em detalhes no livro, contribuem para que o câncer se desenvolva no corpo e sobre os alimentos que o previnem ou o tratam.

Adquiri vários novos hábitos de alimentação saudável que mantenho até hoje, muitos deles aprendidos com a mentoria da Dani Faria Lima, uma mulher incrível, amorosa e competente, a quem tenho muita gratidão. E foram muitos os aprendizados! Cortei completamente o açúcar refinado e comecei a consumir, muito eventualmente, adoçantes naturais, priorizando a estévia. Deixei de comer frituras e evito ao máximo o glúten e os laticínios.

Comecei a ingerir mais verduras, fazer sucos de vegetais e frutas, para tomar todos os dias pela manhã.

Melhorei bastante minha dieta, emagreci cerca de treze quilos nos dois primeiros anos desde o diagnóstico.

Após terminar o primeiro tratamento, que começou em junho de 2018 e foi até julho de 2019, eu fui aos poucos me descuidando da alimentação, deixando alguns alimentos que não me faziam bem voltarem ao meu cardápio, como, por exemplo, os queijos, um dos meus maiores "vícios alimentares". E, é claro, voltei a sentir os incômodos, que vieram ainda mais fortes, já que meu corpo tinha se acostumado a uma dieta saudável. Cortar certos alimentos, de forma definitiva, é um dos maiores desafios da vida! Para mim, uma pessoa extrovertida que ama reuniões com amigos e família, é bem difícil recusar convites para os churrascos de domingo, em que pão de alho e queijo coalho assados são itens básicos do cardápio, além do queijo com goiabada (ou doce de leite) de sobremesa. Claro que aprendi a levar para o churrasco itens que me faziam bem, como saladas, verduras assadas, mas um pedacinho de queijo e pão de alho sempre vinham para o prato.

Eu continuava cuidando da alimentação de forma geral, mas abria inúmeras exceções para alimentos que eu sabia não eram bem tolerados por meu corpo. Os incômodos alimentares foram aumentando, porém durante metade de 2019 e 2020 inteiro, fui lidando da forma que conseguia, procurando não pensar muito no assunto e sempre focando a parte da minha alimentação que estava melhor do que antes do início do tratamento. Eu sabia que já tinha evoluído bastante e isso me dava a sensação de que estava tudo bem falar "sim" para aquilo que eu desejava, desde que fosse eventual. Porém eu comia, me sentia mal, daí parava de comer por uns dias porque o fantasma do retorno do câncer me assombrava. Depois voltava a comer, pensando "só hoje vou me dar esse luxo, afinal eu mereço". Essa frase traz em si tantos equívocos! Afinal, a gente merece o melhor para nós: saúde, bem-estar, qualidade de vida. Mas é uma das formas de percebermos a resistência, forte demais. De forma geral, se comparado ao período antes do câncer, eu já me alimentava muito melhor, mesmo mantendo certos hábitos que não me faziam bem algum, muito pelo contrário.

Quando recebi o diagnóstico da recidiva com metástase, em janeiro de 2021, eu já me considerava uma pessoa bem preparada sobre dietas e alimentos, por tudo que eu havia aprendido nos últimos anos.

Decidi, então, ir ainda mais fundo e garantir que meu corpo receberia somente aquilo que fosse realmente útil para ajudá-lo a se reequilibrar.

Voltei aos estudos, fortemente comprometida a encontrar novos caminhos. Após ler diversas pesquisas e receber orientação de nutricionistas oncológicas, decidi pelo veganismo e o jejum intermitente.

Quero deixar registrado aqui que eu defendo a alimentação saudável como princípio. Não sou nutricionista, então não prescrevo nenhuma dieta para ninguém. Sei que há várias controvérsias nesse universo da nutrição, por exemplo, sobre o consumo de carnes, e não desejo entrar em nenhum tipo de debate por isso. Fiz uma escolha consciente e madura, de perceber aos poucos como meu corpo se sentia com cada alimento e, assim, mudando a dieta. Procuro seguir princípios sólidos, sobre a importância de termos uma alimentação cada vez mais natural, com muitas verduras, frutas e legumes.

Aprendi muito sobre a alimentação saudável no livro *Você pode vencer o câncer* (tradução livre), de Ian Gawler, em que ele propõe que tenhamos dois tipos de dietas: a dieta saudável, para manutenção da saúde, e a dieta da cura, para quem está em tratamento de doenças graves, como o câncer. Na dieta da cura, ele propõe o veganismo e explica detalhadamente as razões para isso. Eu vi muita consistência em todos os estudos que ele apresenta no livro, já havia lido muito sobre isso antes. Hoje, após finalizar o tratamento quimioterápico, sinto que consegui encontrar o equilíbrio. E isso se deu, principalmente, por um princípio que aprendi: somos o que comemos. Antigamente, antes do diagnóstico, eu comia somente para ter o prazer do sabor ao qual eu estava completamente viciada.

UMA JORNADA DE CURA E TRANSFORMAÇÃO

Durante os primeiros três anos do tratamento, eu passei a escolher meus alimentos tendo por base o medo do câncer, como acontece com a grande maioria das pessoas que, desesperadamente, busca fazer tudo ao seu alcance para se curar. Então eu aprendi a focar a saúde e não a doença! Pessoas com câncer acabam lendo e recebendo informações de amigos e familiares de que tal alimento "dá câncer", então passam a se sentir inseguras com suas escolhas alimentares, porque é uma mudança enorme em hábitos de uma vida toda! Dá uma sensação de não saber mais o que comer, de sentir-se refém da própria dieta, sentindo não poder usufruir de melhores opções alimentares por falta de conhecimento sobre seus benefícios ou por falta de recursos para acessar alimentos considerados mais nutritivos.

Eu compreendo o quanto o tema "dieta saudável" é desafiador para as pessoas, principalmente para as que estão em tratamento de doenças graves. Mesmo com toda a motivação (a cura física) para mudar de hábitos, ainda assim o vício nos alimentos que sempre consumiu e aos quais acostumou o paladar e o corpo a receber é muito mais forte que o impulso da mudança. Para uma real e permanente mudança nos hábitos alimentares, é preciso, primeiro, mudar a forma como compreendemos o papel dos alimentos em nosso corpo.

E isso vale para qualquer pessoa!

Devemos nos alimentar segundo a seguinte lógica:

90% do tempo para NUTRIR nossas células de todos os elementos químicos de que elas necessitam para manter o sistema funcionando e se reparando.

10% para sentir o prazer dos sabores daquilo que não nutre, mas que está presente em quase todos os momentos de lazer, nas reuniões com amigos e família. Esse entendimento foi fundamental para a decisão que tomei. Agora eu como para nutrir meu corpo, para que ele tenha todos os recursos que precisa para se manter em equilíbrio.

E, quando eu abro alguma exceção, o faço sem culpa, em paz, sabendo que é apenas uma exceção dentro dos 10%, e que não me fará mal algum. Minha dieta atual é predominantemente vegana, com algumas exceções eventuais para peixes e ovos, principalmente quando em viagens. Mantenho o jejum intermitente três vezes por semana, porque acredito no poder dessa prática milenar, que ajuda o corpo no processo de desintoxicação e na melhoria das funções vitais de forma geral, como vários estudos já comprovam. Tenho consultas com minha nutricionista de três em três meses e todo o meu cardápio foi elaborado por nós duas juntas.

Nenhuma de minhas práticas foi feita sem orientação profissional adequada. Acho importante frisar isso porque as pessoas, na melhor das intenções, têm a mania de receitar chá disso, suco daquilo, para quem está com câncer.

Afinal, ficaram sabendo de tal fruta, planta, composto milagroso que curou inúmeras pessoas com câncer.

Eu, sinceramente, não sei da veracidade de tais fatos e prefiro não julgar. Acredito que a medicina esteja sempre evoluindo de forma a descobrimos mais e mais recursos que temos à nossa disposição, na natureza, para melhorar a saúde, para curar doenças.

Porém eu escolhi seguir os princípios alimentares saudáveis que já foram amplamente pesquisados pela medicina integrativa e pela nutrição funcional, que, combinados com os tratamentos convencionais, oferecem os melhores resultados, em termos de ambiente físico, para a cura das doenças. Acho importante reforçar, também, a relevância da suplementação vitamínica prescrita por médicos e nutricionistas especializados, pois os alimentos não têm a capacidade de nos fornecer toda a quantidade de elementos de que precisamos tanto para prevenir quanto para curar doenças, principalmente neste mundo atual, em que há tantos fatores agressores da saúde.

Itens como cúrcuma, própolis verde, magnésio e vitamina D fazem parte de minha rotina diária de suplementação. A dosagem é sempre definida e revisada por meu médico, com a análise periódica de meus exames de sangue. Enfim, são muitos os cuidados com a alimentação para nós que vivemos num mundo de exageros, com alimentação cada vez mais industrializada e contaminada por produtos químicos. É nossa responsabilidade fazer melhores escolhas, que se refletirão em nossa possibilidade de garantir um ambiente físico favorável à saúde e não às doenças.

PONTOS-CHAVE DO CAPÍTULO:

- Garanta 90% de sua alimentação baseada nas necessidades de nutrição do seu corpo e 10% simplesmente pelo prazer do sabor do alimento.
- Não alimente o sentimento de CULPA ou MEDO ao se alimentar.
- Quanto mais natural o alimento, melhor.
- Aprenda a cozinhar, faça sua própria comida o máximo possível.
- Faça jejum para desintoxicar seu corpo, com orientação de nutricionista.
- Faça suplementação recomendada por um médico especialista.

PARA SEU PLANO DE AÇÃO:

- Numa escala de 0 a 10, como está sua alimentação?
- Quais as mudanças você vai fazer para garantir uma dieta mais saudável?
- O que poderia impedir você de se alimentar para obter mais saúde e como você pode lidar com isso?
- Como vai lidar com os momentos de tentação que sempre surgem?

ATIVIDADE FÍSICA

> "Atividade física não é apenas uma das mais importantes chaves para um corpo saudável. Ela é a base da atividade intelectual criativa e dinâmica."
>
> John F. Kennedy

Minha dedicação à atividade física era algo oscilante em minha vida. Desde muito jovem, eu procurava me exercitar, ir à academia, com foco em ganhar massa muscular e me sentir melhor com meu corpo.

Fiz aulas de dança antes de engravidar, sempre tive ótima flexibilidade. A partir de uma certa idade, comecei a me exercitar em academia com o auxílio de *personal trainer*, porém, com tantas viagens, era comum acabar fazendo atividade física no máximo uma vez por semana.

E eu percebia que só ia à academia porque tinha o compromisso com o *personal*, porque, se dependesse de eu ir sozinha, as chances de faltar eram altas, já que nunca gostei de musculação.

Eu começava algumas atividades como ioga e Pilates, porém com baixa frequência às aulas, também por causa das viagens constantes. Ao menos era essa a desculpa que me contava, já que eu poderia fazer atividades físicas em qualquer lugar em que eu estivesse, certo?

Eu somente não priorizava o movimento, tinha preguiça mesmo. Com o tempo, fui aprendendo que precisava me movimentar mais, para reequilibrar a energia do meu corpo.

Aprendi sobre a importância do conceito de "oscilação" em um curso de *coaching*, que afirma o seguinte: para nos sentirmos descansados, em vez de nos jogarmos no sofá no final do dia, deveríamos fazer uma caminhada. Oscilar pressupõe que devemos distribuir a energia que fica concentrada em nossa cabeça, por horas e horas de trabalho intelectual, para o restante do corpo, por meio do movimento físico.

Por exemplo, pessoas que têm muita dor de cabeça sem nenhuma causa diagnosticada precisam se exercitar mais e promover a oscilação da energia que está concentrada em suas cabeças. O problema é que a maioria, na hora da dor de cabeça, faz o quê? Toma um analgésico e vai se deitar.

Esse conceito de oscilação não é novo! Eu ouvi sobre isso a primeira vez por volta dos anos 2000... Ou seja, tive muito tempo para consolidar essa prática em minha vida, porém demorei muitos anos até decidir que, pelo menos três vezes por semana, eu me exercitaria.

Quando recebi o diagnóstico do câncer, eu já estava praticando atividades físicas com mais regularidade, o que me ajudou bastante no desafio de me manter em movimento durante o tratamento.

Minha motivação para isso aumentou ainda mais quando li um estudo feito com mulheres que estavam em tratamento de câncer de mama, e que mostrava uma redução de mais de 50% nas metástases em pacientes que se exercitavam pelo menos três vezes por semana.

Durante meu primeiro tratamento, eu praticava atividades físicas diariamente, nem que fossem apenas vinte minutos de uma caminhada nos dias em que me sentia mais fraca em virtude da quimioterapia.

É normal, durante o tratamento, sentirmos fadiga, mas eu não me entregava a ela! Eu pensava que minha vida também dependia daquilo e simplesmente fazia o que conseguia.

Depois de finalizado o tratamento inicial, eu mantive o hábito da atividade física regular, alternando exercícios funcionais com atividades aeróbicas, como caminhada forte ou uma leve corrida.

Fui orientada pelos médicos a evitar correr muito, pelo risco de lesão nas articulações, que são impactadas pelo tratamento em virtude das desregulações hormonais que acontecem na quimioterapia.

Acredito que o movimento é, assim como o alimento, uma das principais fontes de energia vital do nosso corpo, que não foi feito para o sedentarismo. Além de garantir o fortalecimento dos músculos e articulações, a atividade física promove uma melhor circulação sanguínea e a limpeza de toxinas, pela estimulação de nosso sistema linfático.

Quando se está na menopausa, ter músculos fortes é essencial para a preservação dos ossos, para não desenvolver osteoporose.

Quem se exercita tem mais disposição e vitalidade, além dos impactos no humor e no sono de qualidade, pela liberação da endorfina e serotonina, substâncias fundamentais para nosso equilíbrio e bem-estar geral. Eu poderia citar aqui inúmeras razões pelas quais alguém precisa se movimentar, porque realmente há muitas. Ou seja: os benefícios do movimento são inúmeros!

Eu desejo, quando chegar aos oitenta anos, poder andar sem dificuldades durante as inúmeras lindas viagens que ainda estarei fazendo. Hoje eu me exercito praticamente todos os dias, porém sem pressão. Já não me sinto culpada por um ou outro dia em que não pratico atividades físicas, apesar de ser algo raro de acontecer, porque me sinto revigorada e tenho, cada dia mais, sentido a necessidade do movimento.

A forma de me exercitar que mais me encanta é no meio da natureza, em caminhadas em parques ou na praia.

Nem sempre isso é possível, já que moro em Cuiabá, onde o calor é considerável (mais de quarenta graus em alguns meses do ano), e se exercitar ao ar livre se torna um verdadeiro desafio, um teste para a disciplina e força de vontade.

Mas veja: haverá sempre alguma desculpa para quem ainda não tem o hábito do exercício regular. Pode ser o calor, pode ser o frio...

Porém, lá no fundo, a causa da falta de vontade de se exercitar é sempre a mesma: não querer abrir mão de outras atividades que julgamos mais prazerosas, como dormir, ver televisão, navegar na internet, ficar sem fazer nada jogado no sofá, bater papo com alguém, entre inúmeras outras.

Por isso eu faço uma recomendação: quando aparecer aquela "voz" em sua mente dizendo: "Ah, hoje estou cansada, não vou pra academia, amanhã eu vou", responda prontamente: "Eu vou, sim, e ponto final!".

Não deixe que a resistência interna domine suas decisões e o mantenha no mesmo lugar, sem conseguir avançar para mais saúde na vida.

É preciso tomar consciência de que longevidade com saúde depende desta escolha! De escolher levantar-se da cama ou do sofá, mesmo cheio de preguiça.

Adoro uma frase que diz: "Não espere as condições perfeitas para começar". Amadurecer significa estar consciente das consequências de nossas escolhas, decidindo de forma inteligente, pensando não somente em curto, mas em longo prazo.

Escolha uma atividade física que lhe traga prazer, há muitas disponíveis. Andar de bicicleta, correr, caminhar, fazer musculação, aulas de dança, esportes, Pilates, ioga, são tantas as possibilidades!

Quero dar um destaque para a ioga, que é muito mais do que um exercício físico: é uma filosofia de vida, que integra corpo, mente e espírito. Ao fazermos ioga, ganhamos não só força e flexibilidade, mas, também, nos tornamos mais centrados por meio da atenção à respiração, acessando estados de harmonia e paz.

Por isso sou uma adepta ferrenha da ioga, por tudo que ela representa. Para concluir, minha sugestão: não deixe para começar na segunda-feira!

Sua longevidade depende mais do exercício físico do que você possa imaginar.

PONTOS-CHAVE DO CAPÍTULO:

- Escolha uma atividade física que lhe dê prazer.
- Diga "não" à voz que sempre irá querer lhe fazer desistir do exercício.
- Fazer só um pouco de exercício é melhor do que nada.
- Não espere as condições perfeitas para começar.

PARA SEU PLANO DE AÇÃO:

- Numa escala de 0 a 10, como está sua prática de atividade física?
- Quais mudanças você vai fazer para garantir um nível de exercício que lhe dê vitalidade e músculos fortes?
- O que poderia impedir você de se exercitar ao menos 3 vezes por semana para obter mais saúde e como você pode lidar com isso?

3

DESCANSO

> "Devia ter complicado menos.
> Trabalhado menos. Ter visto o sol se pôr."
> Titãs

Pessoas viciadas em trabalho, com mentes hiperativas, que estão sempre envolvidas em diversas atividades na vida pessoal e profissional, colocam o descanso como última prioridade.

Porém, com a idade, a conta chega! Aí já não conseguem mais funcionar como antes, já não têm a mesma disposição de antes, e as doenças do corpo físico começam a se manifestar.

Infelizmente, meu caso não foi diferente...

Fundamental para o reequilíbrio do corpo, para a restauração das células, o descanso era algo pouco presente em minha vida, começando pelo sono. Dormir em camas de hotel, após viagens longas, costumava gerar noites de sono mal dormidas.

Muitas vezes eu dormi bem menos do que meu corpo precisava (sempre senti necessidade de cerca de oito horas por noite), porque precisei trabalhar até tarde e tinha compromisso profissional logo cedo.

Comecei a tomar café com frequência, para me manter alerta durante o trabalho, pois sentia muita sonolência.

O sono era intranquilo: eu sonhava com o trabalho e sentia que todas as preocupações queriam ser encaminhadas ao longo da noite, nos sonhos. Além do mais, a partir dos 40 anos, comecei a sentir os tais suores da menopausa, apesar de meus médicos afirmarem que meus níveis hormonais estavam dentro dos valores de referência e que eu estava muito jovem ainda para entrar nesse período.

Eu nunca priorizava o sono: estava sempre inquieta e ansiosa por realizar todas as tarefas que colocava em minha agenda, tanto profissionais quanto pessoais.

E as pessoas me admiravam e diziam "que não sabiam como eu conseguia dar conta de tanta coisa...". Isso era música para meus ouvidos, mesmo que reforçando de forma inconsciente aquele péssimo hábito da busca de me sentir reconhecida.

Meu sono piorou ainda mais com o tratamento do câncer porque, com a quimioterapia, eu entrei de fato na menopausa, e meus hormônios se desregularam.

Então, aqueles calores noturnos passaram a ser também diurnos e se tornaram muito intensos, vindo de hora em hora e me acordando com frequência. Um tratamento que me ajudou bastante naquele contexto foi a acupuntura, que me trouxe alívio não somente para os frequentes "fogachos", mas, também, contribuiu para o aumento de minha imunidade e para a redução da ansiedade típica do processo.

Com a suplementação vitamínica, de minerais e fitoterápicos, prescritos pelos diversos médicos integrativos que me atenderam nestes últimos anos (aos quais tenho uma gratidão imensa por todos os cuidados), fui, aos poucos, melhorando a qualidade do sono e me sentindo mais bem-disposta, mesmo estando num tratamento tão agressivo para o corpo.

Passei, também, a usar óleos essenciais no difusor e na pele, na hora de dormir, o que se mostrou extremamente benéfico para um sono restaurador. Descobri nos óleos uma fonte de bem-estar incrível, fosse para o melhor sono, fosse para me sentir mais calma durante o dia, ou mais animada, mais disposta. Há óleo essencial para tudo e eu recomendo que as pessoas busquem se informar dos seus benefícios.

Também passei a criar rituais para o sono, tais como não usar celular próximo da hora de dormir, sempre tomar um chá de camomila no final da noite, procurar ler livros relaxantes, com música suave no quarto.

Meu sono melhorou de forma considerável, e eu atribuo isso a todos os novos hábitos que consolidei, junto com uma alimentação saudável e atividades físicas, por exemplo.

Mas nada ajudou mais o meu sono do que a prática da meditação diária, sobre a qual vou entrar em detalhes mais adiante, em capítulo específico. A meditação transformou a minha vida, e se tem algo neste livro que você não pode deixar de ler, é sobre isso. Mas voltando para o tema sono, percebo que muitas pessoas dormem mal e buscam resolver o problema com remédios. Compreendo que há momentos da vida em que precisamos do remédio: eu mesma, quando recebi a notícia da metástase, tomei calmante por uns três dias. Mas o triste é ver o vício, a dependência, a resignação geral daqueles que encontraram nos remédios para dormir a saída fácil para um problema muito mais profundo, que deveria estar sendo direcionado com muitas mudanças nos aspectos emocionais e também de hábitos cotidianos. Quanto à suplementação que impacta o sono, costumo usar magnésio e a melatonina, uma substância natural que nosso corpo produz, mas cujos níveis adequados para o corpo a suplementação ajuda a garantir. O sono é algo importante demais, e deveríamos cuidar com mais carinho dele. Há hoje diversos livros escritos que vão fundo no estudo das causas do sono ruim, oferecendo diversas soluções para sua melhoria. O nível de reparação celular que o sono profundo oferece é fundamental no processo de cura. Todos deveriam considerar seriamente a necessidade de qualidade e quantidade de sono em suas vidas.

Além do sono, o descanso se dá através das pausas.

Pausas são aqueles momentos em que ficamos sem fazer nada. Nada mesmo.

E esse foi um grande aprendizado para mim!

Eu não costumava fazer pausas sequer para ir ao banheiro... E isso me gerou inúmeras infecções urinárias, desde meus vinte e poucos anos.

Eu sempre senti dificuldades em ficar sem fazer nada, estava sempre querendo encher minha agenda de compromissos! Esse hábito é algo que até hoje preciso monitorar para não cair na armadilha de voltar para o mesmo padrão. Fazer pausas, para mim, era como se eu estivesse "desperdiçando um precioso tempo" ao simplesmente parar e não fazer nada.

Foi exatamente por conta da dificuldade com as pausas, com o descanso, que eu percebi meu vício em sentir-me ocupada.

Descobri-me mais do que uma *workaholic* (viciada em trabalho). Eu simplesmente não conseguia parar e estar presente em determinado momento sem pensar no futuro, no trabalho, nas coisas a fazer.

Eu queria ter tudo planejado na agenda da próxima semana, do próximo mês, do ano inteiro!

Nos finais de semana, feriados e férias, costumava trabalhar ou pensar em trabalho. Então, não havia pausas em minha rotina.

Aprender a experimentar as pausas foi algo difícil, porque eu já estava tão acostumada àquele ritmo, a não parar, a me concentrar totalmente no trabalho, que parar me dava uma sensação ruim, quase de culpa.

Ter espaços livres na agenda me dava ansiedade, desconforto mesmo, porque era muito diferente do padrão que eu consolidei em décadas de vida. Eu tinha o vício de me sentir ocupada e, numa sociedade que valoriza as pessoas conforme o nível de ocupação delas, eu simplesmente achava aquilo normal. Uma pessoa que está sempre correndo, cheia de compromissos, é percebida na sociedade, de forma geral, como alguém bem-sucedido.

Quando percebi o que estava acontecendo comigo, decidi que precisava encontrar uma forma de sair daquele padrão que estava custando minha vida. O que fiz, a princípio, foi bloquear minha agenda para garantir as pausas, pois, se eu não fizesse isso, acabaria ocupando todo o meu tempo com inúmeras atividades.

Eu comecei o processo assim, com esse "truque", e ainda estou aprendendo muito sobre ele.

Hoje eu tenho sempre pausas em minha rotina.

Não trabalho mais no almoço, não trabalho mais à noite (a não ser em alguns eventos esporádicos), não trabalho mais aos finais de semana.

Faço intervalos ao longo das horas de trabalho, para me levantar, caminhar um pouco, respirar profundamente, olhar para a natureza, comer algo saudável, beber muita água, conversar com alguém, relaxar.

Deixo os espaços de pausa na agenda, para que eu possa decidir, no momento e no dia, o que desejo fazer, caso eu queira fazer algo.

Para quem está numa posição executiva na empresa, ter espaços na agenda sem nada marcado é fundamental para podermos lidar com imprevistos. Hoje eu me permito ter momentos no meu dia para simplesmente pegar uma xícara de chá, me sentar no sofá, colocar uma música suave e não fazer nada.

Veja que incrível: mesmo eu sendo dona do meu próprio negócio eu não me permitia fazer isso. Não me permitia parar para descansar!

Hoje eu me sinto tão tranquila e serena nos momentos de pausa. Sinto-me livre. Percebo que cuidar do descanso foi essencial para eu me sentir novamente conectada com o momento presente.

Fazer pausas não me tornou menos produtiva, como eu provavelmente temia que acontecesse, muito pelo contrário.

Ao estar efetivamente presente, em todos os momentos, eu sou muito mais contributiva, pois desenvolvi a inteligência emocional para perceber o ambiente e as pessoas, de forma a melhor escolher como interagir em cada situação. Não temos que sempre "fazer", "agir", "resolver". As vezes só precisamos observar, deixar ser, não fazer nada, confiar no processo.

E a gente se surpreende com o que aprende, com o que descobre, quando desacelera de forma consistente. A gente passa a, realmente, enxergar tudo.

UMA JORNADA DE CURA E TRANSFORMAÇÃO

PONTOS-CHAVE DO CAPÍTULO:

- Garanta que seu sono seja longo e profundo, conforme sua necessidade.
- Respeite os momentos de descanso, estabelecendo limites para o tempo de trabalho.
- Planeje pausas ao longo do dia, como forma de revigorar a mente.

PARA SEU PLANO DE AÇÃO:

- Numa escala de 0 a 10, como está o descanso em sua vida?
- Quais mudanças você vai fazer para garantir um sono profundo, que permita ao seu corpo a restauração de que ele necessita?
- Quais as pausas que você vai implementar em sua rotina para ter momentos de desacelerar, respirar e se reconectar consigo mesmo?
- O que poderia impedir você de criar hábitos de descanso e como pode lidar com isso?

UM NOVO MODELO

Mesmo após receber a notícia de que não havia mais captação de câncer pelo PET scan, em julho de 2021, eu continuei com todas as práticas de saúde que adquiri durante o longo período de quase quatro anos de tratamento, porque entendi que este é meu novo modo de vida, que representa a minha decisão de honrar meu corpo com tudo de melhor que ele merece.

Eu entendi que amar a mim mesma também passa por eu escolher com atenção o que comer, como me movimentar, como descansar. Não adio mais exame algum, sou sempre pontual em meus retornos médicos, porém sem neura, em paz.

Continuo firme na medicina integrativa, com protocolos específicos e com homeopatia, fitoterapia e suplementação, pois sei que meu corpo precisa dessa ajuda para se reequilibrar após toda a carga de medicação e radiação que recebeu e que continua recebendo pelos exames e tratamentos. Vejo que, para a maioria das pessoas, o maior motivador para buscarem se alimentar bem e movimentar o corpo é o objetivo de se sentirem belas, dentro dos padrões estéticos que são reforçados diariamente nas mídias. Quero deixar claro que não há problema algum em querer se sentir bonito e atraente!

Porém é importante reforçar que hábitos de saúde, para se consolidarem, precisam ter muito mais que somente essa motivação.

Isso porque haverá muita resistência interna e externa para a quantidade de "nãos" que teremos que falar ao longo da vida, para tudo aquilo que não estiver alinhado com o modelo de saúde plena, integral.

Precisaremos falar "não" para a vontade de desistir do exercício, para a vontade de comer a caixa inteira de chocolate ou a gordura da picanha. Precisaremos de força para falar "não" para o desejo de assistir só mais um episódio da série, tarde da noite, sabendo que precisaremos acordar cedo no dia seguinte e que o sono não será suficiente.

Então, antes de tudo, devemos compreender que cuidar da saúde é um ato de amor por nós mesmo, por nossa vida.

Não devemos fazê-lo somente para ficarmos bonitos nas fotos, nem por medo de adoecermos.

Se você fizesse um enorme esforço para conseguir comprar o carro de seus sonhos, você iria abastecê-lo com combustível adulterado?

Iria deixá-lo sem manutenção corretiva e preventiva?

Iria deixá-lo ligado vinte e quatro horas por dia, sem descanso para o motor?

Acredito que você respondeu "claro que não", para as perguntas anteriores. Então, por que agimos diferente com nosso corpo?

Este corpo é o único lugar que temos para viver essa experiência magnífica da vida na Terra.

Honrá-lo, cuidar dele com todo o amor, é o mínimo que devemos fazer. Eu agradeço, todos os dias, a cada célula deste meu corpo que me carrega pela vida e me permite viver para evoluir.

Honre seu corpo, todos os dias, e você verá a diferença em sua vida.

PARTE 2
MENTE

5

EMOCIONAL

> "Quem vive em harmonia consigo mesmo
> vive em harmonia com o Universo."
> Marcus Aurelius

Sempre fui uma pessoa de "personalidade forte".
Usamos essa expressão para não dizer "nervosa, irritada, agressiva, autoritária, teimosa", por exemplo.
Diante das adversidades, que foram inúmeras em toda a minha vida, eu acessava sentimentos de indignação e irritação, buscando culpados para aliviar a raiva que sentia de mim mesma, por ter "permitido" que algo desse errado. Eu vivia na falsa ilusão do controle, que me escravizou por muitos e muitos anos. Eu realmente acreditava que poderia controlar tudo que aconteceria. As emoções de medo e culpa que senti quando criança, diante dos desafios de minha família, foram os motores para a maioria de meus comportamentos e reações inadequados diante das situações desafiadoras da vida. E foram muitos e muitos anos de desequilíbrio emocional inundando meu corpo de substâncias altamente prejudiciais à química celular, como adrenalina e cortisol, entre outras.

Descobrir que estava com câncer ativou todos os meus sistemas de medo e culpa num nível impressionante, como você pode imaginar.

Nos primeiros dias da descoberta, eu oscilava entre sentir o medo da morte, imaginando minhas filhas sem mãe e meus pais sofrendo a perda de uma filha, e sentir culpa, dizendo a mim mesma que adoeci de tanto estresse pelas escolhas profissionais que fiz, pelo meu alto nível de estresse.

O câncer também ativou em mim um sentimento forte de impotência, porque me sentia completamente perdida, principalmente no começo do tratamento, por não compreender o que aconteceria, não saber dos efeitos do tratamento, não saber se haveria um "amanhã".

Além disso, eu também senti muita frustração, raiva e indignação ao pensar que "minha vida estava por um fio" e estar diante de pessoas que não valorizam suas vidas, que reclamam de qualquer contratempo, que não cuidam da saúde porque nunca precisaram pensar sobre os efeitos de suas más escolhas.

Lembro vividamente de um almoço em família quando eu preferi ir embora mais cedo (acredito ter sido a primeira vez que eu fui a primeira a ir embora em almoço de domingo em família) de tanta vontade de chorar que eu estava em ver que quase todos estavam tomando refrigerante à vontade, mesmo diante de meus compartilhamentos sobre os prejuízos desse tipo de bebida para a saúde do corpo físico. Desde o início do meu tratamento, comecei uma saga para compartilhar minhas descobertas sobre, por exemplo, o impacto do açúcar no corpo, no próprio fato de células cancerígenas consumirem mais açúcar que células saudáveis. Naquele domingo, eu pensei, comendo em silêncio: "Como eles podem ser assim, tão cegos? Todo o meu sofrimento não é suficiente para que eles compreendam?".

Lembro-me que naquele dia aprendi uma lição muito importante com meu esposo. Ele me disse, no carro, a caminho de casa, enquanto eu chorava e me lamentava pela falta de empatia e compreensão de meus familiares: "Lorena, se ao menos uma pessoa for impactada por seus conselhos sobre saúde, já terá valido a pena seu esforço. Simplesmente continue falando o que acredita e se lembre que cada pessoa escolhe o que deseja para sua vida".

Essa sabedoria foi extremamente importante para mim e eu hoje a pratico em todas as situações em que percebo começar a entrar no modo "julgamento" dos hábitos das pessoas. Procuro sempre me lembrar de que as pessoas agem como elas são, e não como elas gostariam de ser. Entre saber e ser há um grande espaço, que requer tempo e disciplina para ser preenchido. Cada pessoa tem seu tempo de compreender, de despertar.

De forma geral, todos nós estamos sempre repetindo os comportamentos do passado, porque continuamos sendo o que sempre fomos, nos baseando nas mesmas crenças, nas formas de pensar condicionadas à realidade que vivemos em nossa infância. Nossos hábitos de saúde são aprendidos na infância, nos relacionamentos com nossos pais ou com quem assumiu esse papel.

A gente vem a esse mundo perfeitamente pleno, sem crenças limitantes, confiantes, simplesmente felizes. Assim somos em nossa primeira infância, não nos preocupamos com nada, simplesmente vivemos o momento. Porém nossa experiência ao longo dos anos vai criando a ilusão dentro de nós de que não somos completos, de que temos que fazer algo para sermos valorosos. A falta de experiência e de habilidade em criar filhos emocionalmente saudáveis é o problema da humanidade! Todos os pais cometem esse erro na criação dos filhos, porque também eles estão na ilusão de que não são bons o suficiente, cheios de crenças limitantes. Então todos nós crescemos sentindo que precisamos de algo que não temos, algo que, se o alcançarmos, irá nos fazer sentir que temos valor.

Nossa inteligência emocional, que é a nossa capacidade de lidar com situações adversas, mantendo emoções em equilíbrio e amadurecendo após cada episódio, de forma a não repetir os mesmos erros no futuro, é algo a ser trabalhado, perseguido ao longo da vida. E isso é muito, mas muito mais desafiador do que gostaríamos que fosse!

Porque, por trás de cada emoção desequilibrada, há sempre um motivo que, de forma inconsciente, consideramos "nobre", que justifica aquela emoção. Por exemplo, se eu falo de forma agressiva com alguém que cometeu um grave erro, estou acessando a preocupação genuína para com os impactos daquele erro em todos os envolvidos. Dessa forma, acabamos por sempre justificar nossas atitudes intempestivas, nossos dramas, nossos desequilíbrios, porque falamos para nós mesmos que a situação merecia aquela resposta, senão poderia ser pior.

O mecanismo psicológico que acontece dentro de nós o tempo todo, sendo acionado a cada evento que vivemos, é muito complexo e eu sempre me senti extremamente curiosa para entendê-lo.

De forma inconsciente, acreditamos que o exterior, o corpo perfeito, o parceiro perfeito, o trabalho perfeito irão nos fazer desfrutar o valor que desejamos ter. Uma triste ilusão, que nos mantém aprisionados por uma vida inteira. Como se precisássemos de fazer algo para sermos magníficos! Aí todas as crenças de "faça isso" para ser bom, para não ser um perdedor, para não errar, tudo o que nos disseram que deveríamos ou não fazer, o que é certo e errado, o que é bom ou ruim, forma uma programação que nos condiciona para quem seremos no mundo, nos fazendo esquecer de quem somos realmente. Impõe-nos a ilusão de que falta algo para sermos perfeitos, valorosos, dignos de sermos amados.

Por me sentir assim, sempre na busca desse reconhecimento, comecei a fazer terapia, por volta dos meus vinte e poucos anos. Primeiro, busquei a psicanálise, para compreender as razões de meus conflitos com meu pai e com meu ex-marido. Foram muitos anos no divã, que me ajudaram de forma significativa a entender as origens de muitas de minhas emoções e atitudes nos meus relacionamentos.

Fiz terapia até bem pouco tempo atrás. Nesses mais de trinta anos de processos terapêuticos, mudei de linha, fui para a terapia cognitiva, em que o objetivo é promover a compreensão de quem somos a partir dos nossos comportamentos, buscando provocar alternativas para sairmos das situações que estão nos incomodando.

Durante o tratamento do câncer, eu optei por um processo terapêutico que promove o "reprocessamento das emoções", de forma a acessarmos compartimentos em nossa mente que guardam nossas memórias da infância e que, ao serem acessados, nos permitem retirar aos poucos a carga emocional relacionada aos eventos daquela época. Nessas sessões, minha psicóloga usava de técnicas como a terapia EMDR (Dessensibilização e Reprocessamento por meio dos Movimentos Oculares), para que eu acessasse essas memórias.

Certa vez, li uma frase, não me lembro de que autor, que dizia: se a pessoa chegasse na terapia dizendo "Não estou feliz, eu preciso mudar a mim mesma", em vez de "Não estou feliz, a culpa é de meu esposo/pais/filhos/trabalho/etc.", a pessoa economizaria pelo menos dois anos de terapia.

Eu precisei de muitos anos de terapia para entender que a origem de toda e qualquer insatisfação em minha vida estava dentro de mim, em minhas crenças, expectativas irreais, padrões limitantes, comportamentos improdutivos, que me mantiveram por muitos e muitos anos cometendo os mesmos erros e acessando as mesmas emoções de medo, raiva, culpa, impotência, preocupação, ansiedade, rejeição e insegurança, desde a minha infância até a minha idade adulta.

Para quem conviveu, ou convive comigo apenas profissionalmente, pode parecer absurdo pensar que eu me sentia insegura, com medo, culpa ou insegurança. Isso porque sempre projetei uma imagem profissional de uma mulher muito bem resolvida, segura de si, forte, independente, autoconfiante. Aquela era a minha máscara, que eu acreditava, de forma inconsciente, ser fundamental para minha autoproteção, para que as pessoas não descobrissem minhas fragilidades, para que não me atingissem.

Eu tinha grande dificuldade (e ainda trabalho isso diariamente) de ter confiança.

Em vários momentos de minha vida, eu acessei emoções que drenaram minha energia vital e que foram desequilibrando meu corpo, me levando até a doença. Hoje eu percebo o quanto elas eram frequentes em minha vida, pois eu as sentia praticamente o tempo todo, nas diversas situações que eram "gatilhos" para elas. Eu passei minha vida sentindo irritação com coisas banais, me preocupando com o futuro, sentindo culpa por não ser perfeita.

Eu sentia muito o Medo da Rejeição. Acredito que quase a totalidade dos seres humanos sofra desse medo, já que ele está diretamente relacionado à falta de habilidade de todos os pais em criarem os filhos com forte sentimento de amor e admiração. Mesmo com muito amor pelos filhos, não sabemos acessar esse sentimento na forma de comunicar, de corrigir, de ensinar.

Pais que criticam seus filhos, mesmo em momentos do cotidiano que parecem "inofensivos", como, por exemplo, fazendo comparações de um irmão com o outro, podem ativar na criança a emoção da rejeição, de não se sentir amada, importante, única.

Pais que não dispõem de tempo de qualidade para seus filhos, porque trabalham por longas horas fora de casa ou simplesmente porque não têm vontade de se conectar amorosamente com seus filhos, também estão incorrendo no mesmo erro.

O medo da rejeição, do abandono, de não sermos aceitos e amados pode, também, nos tornar pessoas perfeccionistas, com grande dificuldade em ouvir críticas.

Quando eu resolvi mergulhar fundo dentro de mim e conhecer os lugares mais sombrios de minha alma, eu percebi o quanto as críticas me incomodavam, o quanto eu acessava emoções de raiva naqueles momentos e como reagia de forma agressiva, sem me dar conta daquilo. E pior, nem as pessoas mais próximas a mim conseguiam me alertar para essa questão, pois só o fato de elas me dizerem isso já seria razão para eu reagir de forma defensiva, inclusive apontando erros delas também, como forma de autodefesa (esse é um padrão que hoje observo não somente em mim, mas em todos que têm dificuldades em ouvir críticas).

O medo da rejeição também pode levar a pessoa a se tornar alguém que está sempre querendo agradar ao outro, com grande dificuldade de se confrontar, de expor pensamentos que possam magoar a outra pessoa. De dizer "não" quando preciso, de desagradar o outro.

O perfeccionismo foi sempre minha marca registrada. Por isso, quase todas as vezes em que algo saía diferente do ideal, o sentimento era de culpa (caso eu não tivesse feito algo perfeito) ou de irritação/raiva (caso tivesse sido outra pessoa).

Somado ao medo da rejeição e à culpa, também descobri o quanto eu fui movida, por muitos e muitos anos, pelo medo da escassez.

Acredito que o fato de ter vivido momentos de grandes dificuldades financeiras em minha infância (chegamos a morar de favor na casa de minha tia, imagine uma família com oito membros precisando de teto) e eu ser uma menina muito sensível a tudo que acontecia à minha volta, mesmo muito nova, me fez desenvolver um mecanismo interno que dizia: "Isso nunca mais acontecerá comigo". Assim, toda e qualquer situação que pudesse significar perda financeira, instabilidade, insegurança material sobre o futuro, me causava emoções de angústia, medo, preocupações em níveis completamente desproporcionais ao problema.

Eu compreendo que precisamos de recursos financeiros para pagar nossas contas, para viver, para ter acesso a um nível adequado de conforto, segurança, para criar nossos filhos, para lhes dar uma educação de qualidade, para acessarmos serviços de saúde de qualidade etc.; porém, quando nos tornamos reféns do medo da escassez, nos esquecemos de tudo que já conquistamos, das nossas competências para gerar novas rendas, do amparo que temos de nossa família e amigos para novos caminhos, de que temos todas as condições para sobreviver às intempéries financeiras momentâneas. Parece que estamos sempre à beira de um precipício, andando em suas margens, com medo de que sucumbamos por um vento um pouco mais forte. Para piorar o quadro, eu vivi (e ainda vivo) o desafio de ser empresária no Brasil.

Fundei minha empresa aos 23 anos, em novembro de 1998. Imagine quantas situações de insegurança, de indefinição, quantas crises não vivenciei! Quantos problemas com clientes, com colaboradores e com parceiros eu precisei lidar. E, em todos eles, eu acessava as mesmas emoções. Acessava o medo, o perfeccionismo, a culpa. Anos e anos me matando de trabalhar na ilusão de que se eu trabalhasse mais e mais eu chegaria a um lugar de segurança definitiva. Na ilusão de que, ao chegar ao sucesso, eu teria o reconhecimento que me faria superar o medo da rejeição. Na ilusão de que eu satisfaria o desejo de provar meu valor ao chegar no topo.

É nessa armadilha que nos colocamos, diariamente, ao permitir que nossos padrões continuem a ditar nossos pensamentos, nossas emoções, nossas ações. Sem conhecer esses padrões e programas, sem trabalhar em sua modificação, seremos sempre escravos deles, nada mudará.

Ao projetar tamanho desejo de agradar ao outro, eu deixei de pedir e aceitar ajuda, pois sentia que importunaria, sendo um "fardo".

Mesmo nos momentos em que meus familiares e amigos queriam me ajudar, durante as quimioterapias, eu fazia o máximo para não pedir ou aceitar ajuda. Quando meu pai aparecia do nada em minha casa, no meio da tarde, com uma água de coco para aliviar possíveis náuseas, eu me sentia grata e, ao mesmo tempo, um pouco culpada por dar aquele trabalho a ele.

Até hoje percebo que preciso ficar atenta a essa tendência que tenho de dificilmente pedir ou aceitar ajuda. Isso, sem dúvida, não é ser amorosa comigo mesma. Tenho me observado e evoluído aos poucos nesse sentido. O mais importante é que eu consigo perceber esse padrão, e escolher agir diferentemente. Simplesmente porque agora estou atenta.

Por isso me sinto tão grata pelo que aprendi, nestes meus anos de tratamento. Eu aprendi a compreender verdadeiramente as raízes de minhas emoções. Eu encontrei a minha criança interior e a abracei amorosamente, lembrando-a do quanto ela é amada, lembrando-a de que eu estou aqui para ela, que ela não precisa temer nada. Lembrando-a de que ela pode confiar em mim porque não será abandonada, não será traída. Eu perdoei a meus pais, muitos anos atrás, quando compreendi que eles fizeram tudo que puderam, com os recursos emocionais e materiais que eles tinham, com o maior amor do mundo, por todos os seus filhos. Eu perdoei a mim mesma, porque também sei que fiz o meu melhor, com as condições que também tinha, em cada fase da minha vida, em todos os meus papéis. Perdoar é necessário.

E tanto a empatia como a compaixão são a solução para que possamos "curar" nossa criança interior. Empatia para entender que todas as pessoas somente doam o que elas têm. Empatia para entender que o que não me incomoda pode ser extremamente incômodo para outra pessoa, de acordo com seus princípios e valores. Compaixão para olhar com amor para cada ser humano e ver o sofrimento por trás da arrogância, da raiva, da agressividade, da imaturidade emocional, de forma geral.

Hoje eu presto atenção a cada emoção que sinto. Não a evito. Eu simplesmente a reconheço e percebo que ela está ali, acontecendo. Depois, eu busco entender sua causa, quando ela não vem imediatamente à minha mente, o que ocorre cada vez de forma mais natural. Percebo que, com esse exercício diário de autoconhecimento e autogestão, eu tenho acessado cada vez menos emoções baseadas no meu "programa da infância".

Graças a esse trabalho interno, de conhecer minha "verdade interior", eu pude passar por todo o tratamento do câncer com as emoções produtivas muito mais presentes que as improdutivas.

Eu me senti otimista, confiante, tranquila e em paz na maioria do tempo, mesmo nos momentos mais desafiadores, como nos exames de revisão. Lembro-me de que no exame de revisão de julho de 2021, quando o PET scan não captou nada suspeito (usa-se o termo "PET scan negativo"), fui para o exame pensando: "Se a notícia for de que não há mais câncer, vou celebrar. Se for de que ainda há, porém está melhorando, vou ficar tranquila e agradecer. Se for de que piorou, vou ficar tranquila e compreender o que me falta aprender para a cura". Sinto que aquela foi a primeira vez em que eu realmente consegui me desapegar, ficar verdadeiramente em paz com o que quer que fosse. Para a saúde emocional é fundamental cultivar a paz, buscar e sentir a paz em todos os momentos se perguntando: "O que preciso neste momento para me sentir em paz?", e encontrar as respostas devidas. Este é o verdadeiro "estado belo", como tão lindamente ensina um dos livros mais maravilhosos que já li, *Os quatro segredos sagrados*, dos meus mestres Preethaji e Krishnaji. Esse livro, que, sem sombra de dúvida, é um dos mais profundos, consistentes e transformadores que já li, me ajudou a entender que, ao lidar com qualquer adversidade, eu deveria estar num estado de paz e não de sofrimento. Simplesmente observar, perceber a mim mesma, me conectar com meus sentimentos e com os sentimentos dos outros, serenar minha mente e me abrir para receber a intuição sobre a melhor forma para lidar com cada desafio.

Silenciar, perceber, conectar, compreender, transformar.

Uma por uma, emoção por emoção, interpretando todo o processo como parte da escola da vida, como parte da maior lição que todo ser humano pode aprender: de confiar que tudo está bem, exatamente do jeito que está, porque tudo tem um porquê, nada acontece sem que precisemos que aconteça. O grande desafio para que esse processo flua é não deixar que a autodefesa, nossa maior resistência, nos impeça de reconhecer nossos aprendizados em cada desafio. A autodefesa é uma forma de "auto-obsessão", pois estamos focados na conversa interna do quanto tal pessoa ou tal situação foi injusta conosco, que merecemos algo melhor etc. Eu aprendi a beleza da fórmula: Dor + reflexão = progresso.

Vejo e convivo com diversas pessoas nos ambientes pessoal e profissional que, diante das adversidades, se vitimizam, culpam o outro, não aceitam ouvir nada que não bata com o que elas estão pensando ou querendo ouvir. Elas só querem alguém que valide e reforce o que elas estão sentindo.

Eu as compreendo, porque também já fui assim. Eu sei, claro, que em momentos de dor queremos apoio. Mas se todos à nossa volta somente nos apoiarem e nunca disserem nada que possa nos ajudar a transformar a nossa parcela de responsabilidade, como evoluiremos? Se tudo o que nos acontece tem sempre nossa parcela de responsabilidade e uma oportunidade de aprendizado, para que nos vitimizar?

Acredito que, quando amamos alguém verdadeiramente (e deveríamos amar a todos os seres, como Jesus nos ensinou), queremos que esse alguém não somente se sinta bem, alegre e bem-disposto. Queremos que ele não precise passar novamente pelos mesmos sofrimentos, para os quais ele também está contribuindo para que aconteçam e permaneçam em sua vida.

Em meu trabalho como *coach* e mentora de executivos, o tema "Inteligência Emocional" sempre foi o mais presente, mais intenso, mas relevante a ser discutido. Sem exceção, todos os meus clientes queriam resolver desafios profissionais, tornar-se mais eficazes, gerar mais resultados, direcionando o foco em como mudar o outro, o colaborador, o chefe, o cliente...

Colocando foco naquilo que não controlamos: as escolhas dos outros. Todos nós temos que tomar consciência de que essa inteligência é fundamental para nossa saúde de forma geral, e que descuidar dela pode custar nossa vida.

Sofrer por anos a fio, sem perceber como estamos contribuindo para aquele sofrimento permanecer, colocando toda a responsabilidade no mundo exterior, é o grande equívoco da humanidade.

Nossa vida externa é reflexo da interna.

E a maioria das pessoas depende do que acontece fora delas para se sentir feliz, em paz! Nada no exterior pode nos gerar a paz profunda e durável, apenas momentos fugazes de alegria.

Felicidade é a paz que dura. Que coloca um sorriso em nosso rosto ao acordar e que permanece até dormirmos.

Quando somos verdadeiramente felizes, direcionamos o foco ao que acontece dentro de nós em cada instante. Se for um instante de alegria, nos alegramos. Se for um instante de tristeza, percebemos, cuidamos, aprendemos e saímos melhor. Tudo que acontece conosco vem como oportunidade de evolução. Quando estamos em paz, centrados, conscientes, amorosos e alegres, nosso mundo externo irá refletir esse estado.

E o contrário é verdadeiro também!

Cultivar emoções de autoflagelo, vitimização, reclamação, preocupação excessiva, autodesvalorização irá contribuir para que sua vida reflita essas emoções em eventos externos, como conflitos e perdas. Está muito mais em nossas mãos do que podemos compreender. Nós criamos nosso presente e nosso futuro, e fazemos isso pelos pensamentos e emoções que cultivamos.

Preste atenção. Monitore. Seja gentil e paciente consigo, pois estamos em uma jornada de transformação, um passo de cada vez.

O convite é para vivermos no que os indianos chamam de "bem-aventurança", um estado de paz, harmonia, alegria interior, como escolha consciente, como um trabalho diário de se auto-observar.

A mudança no campo emocional foi crucial para minha cura. Hoje eu consigo perceber as armadilhas em que minha mente quer novamente me colocar. Posso até cair nelas, mas saio rapidamente, restabelecendo o estado belo, o estado de paz e confiança. Até porque, como seres imperfeitos que somos, nunca estaremos permanentemente num perfeito estado emocional. Teremos nossos altos e baixos, sempre. A vida terá seus dias de luz e dias sombrios, sempre. Então, acessaremos emoções pouco construtivas, sem dúvidas. O importante é desenvolvermos "musculatura" para termos a consciência do processo interno que está acontecendo conosco, nos tornando mais e mais capazes de restabelecer o estado belo.

Eu não acredito na cura do corpo físico sem a cura do emocional. Sei que as doenças do corpo começam nas dimensões mental, emocional e energética. Por isso a cura também precisa começar por lá.

Em minha visão, não se trata de treinar a mente ou mudar de hábitos de saúde, mas, sim, de transformar a forma como sentimos tudo o que acontece em nossas vidas, desde o que acontece dentro de nós até o que acontece fora.

O segredo está em transformarmos a forma como sentimos tudo!

A raiz de todo o sofrimento humano é a obsessão conosco mesmos, de querer que as coisas aconteçam de forma a nos sentirmos respeitados, reconhecidos, incluídos, valorizados, amados. Mas já sabemos que isso é uma grande ilusão, a maior de todas! Afinal, todos os seres humanos estão sob o mesmo sofrimento, na mesma busca... Todos buscando por uma solução para suas angústias onde ela não existe: do lado de fora de si mesmos.

Quando aprendemos essa lição tão importante, podemos olhar para todas as emoções perturbadoras com curiosidade, sem nos apegarmos a elas, sem que elas nos controlem. Tornamo-nos realmente livres, porque sabemos a razão de elas aparecerem e decidimos simplesmente observar sem apego, "deixando passar" ou, citando meu amado pai, "deixando pra lá".

Porque as pessoas são da forma como conseguem ser. Nós somos como conseguimos ser. Ao simplesmente aprendermos a observar sem julgar, a indignação se dissipa, a mágoa desaparece, a raiva não permanece, a decepção se neutraliza. E a gente, então, se reconecta com o outro naquilo que ele traz de melhor, naquilo que é possível para ele naquele momento de sua existência, sem exigências de que as coisas sejam da forma como gostaríamos. A gente aprende a simplesmente reconhecer que as pessoas e as coisas são como são. E está tudo bem.

PONTOS-CHAVE DO CAPÍTULO:

- Observe suas emoções e apreenda o que elas querem lhe ensinar.
- Cultive o "estado belo", ficando em paz diante dos problemas que surgem, tratando de cada um com serenidade.
- Compreenda que tudo o que acontece em nossas vidas é uma oportunidade de crescimento em algum aspecto que precisamos amadurecer, evoluir. Desenvolva uma atitude de aprendiz diante da vida.

PARA SEU PLANO DE AÇÃO:

- Numa escala de 0 a 10, como está o seu estado emocional?
- Quais emoções produtivas você quer sentir com mais frequência?
- Quem pode ajudá-lo a aumentar o seu autoconhecimento a respeito de como você reage diante das adversidades da vida?
- Como você irá se lembrar de ficar em paz, num "estado belo", todos os dias de sua vida?

PROFISSIONAL

> "Escolha um trabalho que você ame e não terá
> que trabalhar um único dia em sua vida."
> Confúcio

Quando eu descobri o câncer, eu senti raiva de minha empresa. Naquele momento, eu só conseguia pensar que a empresa tinha me adoecido, que todos aqueles anos de doação intensa a ela tinham sido a causa de eu desenvolver a doença.

Eu me lembrava de cada vez que falei "sim" quando queria dizer "não" a alguém de minha equipe ou a um cliente, sentindo um profundo arrependimento. Pensava nos finais de semana em que me dediquei a elaborar ou entregar como facilitadora nossos programas de treinamento, e me senti indignada por ter sacrificado minha saúde daquela forma. Pensava nas noites trabalhando, nas viagens tão frequentes. Eu simplesmente não conseguia sentir nenhuma motivação para continuar meus negócios a partir do diagnóstico.

Graças a Deus eu pude contar, nos primeiros seis meses de tratamento, com meu esposo, que assumiu o meu lugar na empresa, e também com minha parceira e amiga, Claudia Lisboa (que mais tarde veio a se tornar minha sócia em um novo empreendimento, a StepU), que assumiu meus clientes de treinamento.

Foi fundamental poder contar com minha competente equipe, principalmente com meus gerentes mais seniores, Ugo Flores, Crisley Malaco e minha irmã Ana Beatriz, que, junto com toda a equipe, tocaram o negócio da melhor forma possível, me poupando dos desafios da rotina de operação de uma empresa de consultoria (garanto que não são poucos).

Apesar daquele meu sentimento de raiva e da necessidade de me dedicar integralmente para o meu tratamento, eu, ainda assim, continuei atendendo a alguns poucos clientes de *coaching* e mentoria que estavam com os processos já quase no final.

Aos demais clientes que atendia diretamente, preferi informar que não poderia dar continuidade em razão da doença; mas eles me disseram que gostariam de aguardar até que eu pudesse retomar os processos, porque queriam meu apoio mesmo que precisassem esperar até que eu me sentisse bem para atendê-los.

Ouvir esse tipo de posicionamento de seus clientes, quando se busca aprovação (pelo medo da rejeição), e quando se sente lá no fundo o medo da escassez, era tudo o que eu precisava para me manter trabalhando mesmo em quimioterapia intensa.

Eu sentia raiva da empresa, mas não dos clientes.

Quando estou com meus clientes, sinto uma alegria profunda em poder lhes ser útil em seus processos de desenvolvimento como gestores e líderes.

Porém eu sabia que precisaria repensar minha atuação profissional, este era um forte convite a ser considerado. Eu estava em um enorme conflito, pois sempre amei meu trabalho, com ele pude prosperar, aprender, contribuir e evoluir profissionalmente.

Meu trabalho sempre esteve alinhado com meus princípios, e ser empreendedora sempre foi meu sonho.

Meu trabalho me possibilita utilizar de meus maiores talentos, como a capacidade de liderança e de comunicação, competências que muitas pessoas e organizações precisam, pagam por isso. E ensinar os líderes a serem melhores líderes e as empresas a serem melhores empresas é algo que contribui para um mundo melhor, de mais prosperidade e felicidade para todos. Se você já ouviu falar da ferramenta de autoconhecimento chamada "Ikigai", sabe que o trabalho ideal é aquele que une todos estes fatores citados: algo que eu goste, que eu tenha talento para realizar, que as pessoas paguem para ser feito e que o mundo precise para ser melhor.

Olhando por esse ângulo, eu tinha o trabalho dos sonhos.

Então, por que eu estava com tanta raiva de meu negócio?

Por que eu já não tinha sequer vontade de pisar meus pés no prédio da empresa, que com tanto amor eu construí, anos atrás?

Porém, mesmo sentido a raiva, não abandonei a empresa. Demorou bastante tempo para eu compreender o que estava acontecendo dentro de mim. Demorou para eu perceber que a empresa não tinha nada a ver com tudo o que estava sentindo e vivendo. Mesmo diante do sentimento de raiva para com o meu contexto profissional, nunca deixei de fazer o meu melhor para que a empresa avançasse.

Reduzi meu tempo de dedicação, sem dúvida. Mas me mantive ali, tirando lá do fundo de minha alma o restinho de energia que me restava, para garantir que eu não perderia tudo o que havia construído (era isso que eu realmente acreditava que aconteceria se me afastasse do negócio). O problema de quando você cria algo do zero, vê aquilo crescendo, prosperando, sendo reconhecido no mercado como uma empresa de qualidade e relevante é que o nível de apego se torna surreal.

E meu apego era surreal.

Num nível que me condicionava a centralizar inúmeros processos.

Num nível que me condicionava a acreditar que "só eu poderia atender tal cliente", que "era melhor eu não delegar", que "ninguém faria do meu jeito". A maioria desses pensamentos não era consciente, e somente durante o processo de forte reflexão sobre mim mesma, que passei a vivenciar intensamente nos últimos anos, é que percebi o quanto estavam presentes e condicionavam minhas escolhas e ações, me mantendo escrava do que havia criado para ser minha fonte de alegria e prosperidade.

Desde que a sociedade que eu tinha na empresa se desfez, cerca de dois anos antes do diagnóstico do câncer, meus sentimentos em relação às pessoas da equipe, fossem consultores parceiros ou colaboradores, se contaminaram com a desconfiança, como se eu fosse ser "traída" a qualquer momento.

O interessante é que nunca me senti traída por minha ex-sócia, até porque ela foi extremamente transparente e profissional durante toda a transição até a saída efetiva dela da empresa. Foi alguém que contribuiu muito para com o crescimento da empresa e tenho por ela enorme gratidão pelos anos de parceria.

Porém aquela situação da saída dela ativou em mim gatilhos da infância, de sentimentos de falta de amor, de me sentir rejeitada, desconsiderada. E ali, naquele término da sociedade, eu novamente acessei aqueles sentimentos da infância e entrei num sofrimento profundo, por meses. Essa experiência, da finalização da sociedade, foi vivida por mim com alta carga emocional, que acabou por ser um convite (ao qual deliberadamente aceitei, sem questionar e buscar outras alternativas disponíveis) para que eu me afundasse ainda mais no trabalho, assumindo funções que antes não tinha, centralizando mais, exigindo mais, controlando mais.

Houve momentos muito ruins em minha vida profissional, como houve muitos momentos excelentes, frutos de boas escolhas.

Um deles, por exemplo, foi o de me tornar associada em Mato Grosso à Fundação Dom Cabral, uma das melhores escolas de negócios do mundo, parceria que me trouxe muito aprendizado, grandes amigos, clientes maravilhosos e ainda mais prosperidade para a empresa.

Porém, com o diagnóstico, cheguei a uma encruzilhada em que eu olhava para frente e não conseguia saber para onde ir, o que realmente eu desejava. Comecei a me cobrar respostas, para encontrar um novo caminho, para tomar decisões.

Anos antes do câncer, como relatado em capítulo anterior, eu já me sentia exaurida, frustrada com o nível de esforço que eu precisava empreender para garantir os resultados de minha empresa.

Julgava-me não ser uma boa executiva, por não levar a empresa à performance financeira que planejávamos.

Eu me dividia entre diversos papéis na empresa: atuava como *coach*, mentora, criadora de conteúdos, treinadora, diretora-geral e sócia.

Busquei ajuda, em processo de *coaching* como cliente, de forma a encontrar saídas para meus dilemas profissionais.

Lembro-me perfeitamente de uma sessão que tive com minha competente e querida *coach*, Eva Hirsch Pontes, em que ela usou de uma metáfora para exemplificar o estado em que eu estava: eu dirigia um veículo em altíssima velocidade, dando voltas o tempo todo, e havia na estrada uma placa toda iluminada, piscando em vermelho, com a palavra "SAÍDA", mas eu estava dirigindo rápido demais para conseguir sair daquele círculo vicioso.

E era exatamente assim que eu me sentia: impotente para sair do lugar em que estava, sem saber o que fazer, dividida entre o sentimento de amar o que eu fazia, de precisar dos recursos financeiros para o sustento de minha família e de não conseguir os resultados sem um nível desumano de esforço. Diante de tantas incertezas, iniciando um tratamento de saúde tão agressivo, resolvi suspender todo o meu processo de decisão profissional em relação à minha empresa de consultoria.

Simplesmente avisei minha equipe que iria me ausentar para o tratamento, que meu esposo iria ajudá-la na gestão da empresa, e que eu só queria saber das boas notícias, além de atender alguns clientes pontualmente que já tinham contratos comigo há algum tempo.

No mais, meus dias seriam dedicados aos tratamentos e aos cuidados com a saúde. "Seriam", porque, na prática, eu acabei me dedicando a criar um negócio, a minha empresa de cursos *on-line* (StepU), com meus três novos sócios. Sim, mesmo durante o tratamento do câncer eu não consegui simplesmente estar presente naquele momento: voltei a empreender.

Eu acreditava que esse novo negócio representaria o futuro de minha vida profissional, trazendo mais liberdade e resultados com menos esforço. Ledo engano! Todo negócio, principalmente em seus primeiros dois anos, demanda muita energia e investimento financeiro, mesmo sendo um negócio 100% *on-line*. Então eu me vi não somente com um negócio e os desafios inerentes, mas com dois...

Escrevendo sobre isso agora, eu dou risada, por perceber o quanto a gente se engana.

Mas veja, nenhum arrependimento em ter criado a nova empresa! Vejo nela muito futuro, por toda a sua proposta de valor em um mundo cada vez mais digital.

O que aprendi é que eu simplesmente me mantinha no mesmo padrão: buscando "soluções" fora de mim, no mundo externo.

À medida que finalizava o tratamento inicial, eu voltava para a atuação como CEO no Grupo Valure, me ocupando com novos clientes como mentora ou *coach*. Mantive, porém, a decisão de reduzir em 50% o tempo de dedicação às atividades profissionais, além de não viajar mais para trabalhar a não ser a eventos muito especiais e raros.

Aos poucos, fui compreendendo que a raiva que havia sentido da empresa era, na verdade, raiva de mim mesma, por eu não ter conseguido mudar o rumo de minha vida quando sabia que precisava fazê-lo.

Com o processo de me perdoar e recomeçar meu relacionamento comigo mesma de outro jeito, fui aprendendo uma nova forma de liderar meu negócio, pois me lembrei do que sempre ensinava: eu deveria direcionar a atenção ao que eu controlava (eu mesma, minhas atitudes e escolhas). Percebi que havia cometido erros importantes ao centralizar tarefas, ao não confiar nas pessoas, ao atrair e manter uma equipe com nível de maturidade baixo por não dedicar tempo a desenvolvê-la, pois estava muito dividida entre diversos papéis.

Percebi que eu tinha o hábito de reagir de forma inadequada diante dos desafios cotidianos do negócio, com nível de sofrimento e preocupação desajustados.

Percebi que meu nível de criticidade, meu nível de exigência com a perfeição tornava o ambiente tenso e fazia as pessoas se sentirem incompetentes à minha volta, ansiosas por atingir um nível de performance impossível de ser atingido. Posso dizer que minha atitude era percebida como "intimidadora", porque unia um grande conhecimento técnico com uma forma de comunicar agressiva. Confesso sentir uma leve tristeza ao escrever isso, porque nunca foi minha intenção gerar sofrimento para ninguém. Mas eu gerei. Mas também sofri muito, por anos a fio.

Percebi que quando eu falava "sim" quando deveria falar "não", gerava a falta de foco da empresa como um todo, abrindo portas demais para minha empresa, que tinha recursos limitados de tempo e dinheiro.

Percebi que eu não estabelecia limites importantes em relação à minha atuação profissional, e me ocupava de tarefas que não agregavam valor verdadeiramente ao negócio e nem estavam alinhadas aos objetivos que eu tinha como empreendedora.

Percebi, também, que meus liderados, muitas vezes, se aproveitavam do meu nível altíssimo de compromisso com a empresa, deixando suas tarefas para que eu as fizesse (e eu as fazia e ainda me sentia feliz em ser útil a eles). Como diz meu querido e competente professor de liderança do MBA Executivo da Fundação Dom Cabral, Pedro Mandelli Filho, minha equipe "delegava para cima", me trazendo desafios que ela era capaz de resolver, mas tinha medo de fazê-lo porque acreditava que eu estava mais preparada para isso.

Hoje minha visão a respeito da atuação profissional mudou muito.

Eu sei que, para estarmos em um lugar que traga paz, é a gente que tem que vir em paz, criar essa paz a partir da forma de funcionar em cada momento.

Não há empresa perfeita porque não há pessoas perfeitas.

Sempre haverá conflitos, desafios, descompromisso, desmotivação, trocas de pessoas, infidelidade, falta de ética.

Mas também haverá harmonia, celebrações, compromissos, motivação, novas pessoas cheias de energia e novas ideias, fidelidade, ética.

Tudo isso, o lado bom e o lado ruim, continuará a existir nas empresas não importa o quanto nos esforcemos para transformar. Podemos minimizá-lo, mas nunca eliminaremos completamente o lado ruim dos negócios. É a vida. Ao compreender a minha parcela de responsabilidade nesse cenário, as coisas começaram a fluir na empresa, com muito menos presença minha, com muito mais harmonia, com melhores resultados.

Claro que há ainda muitos momentos complicados, e sempre haverá, pois os negócios são um "jogo infinito", como muito bem explica Simon Sinek em seu livro com o mesmo nome.

E é por compreender essa dualidade pertencente a esse universo material, que hoje me sinto em paz para cuidar da empresa da melhor forma possível, em equilíbrio, focando o ESSENCIAL!

Aprendi a entender meu *core business*, as atividades em que eu realmente sou mais relevante para a empresa, a que agrego mais valor, e que estão mais alinhadas com meu propósito, minha missão.

Somente com muita clareza é possível falar "não" para tudo que não é essencial e, assim, poder viver de forma plena, em todas as áreas da vida.

Eu acredito completamente que devemos amar o que fazemos.

A vida foi feita para sermos felizes! É isso que Deus deseja para nós, eu acredito. Então, não é amoroso trabalhar com algo que não amamos. Claro que nem todas as tarefas de nosso trabalho são prazerosas e nunca haverá nenhum trabalho que somente propicie prazer.

Mesmo alguém que sonhe em ser músico precisará dedicar horas e horas treinando escalas em seu instrumento, o que não é nada prazeroso (fiz aulas de violão por vários anos e tenho duas filhas artistas, então sabemos bem o desafio de se tornar *master* em um instrumento musical).

Eu sei, também, que precisamos aprender a fazer escolhas que atendam ao propósito da alma. Mas não é tão simples compreender esse propósito, depende de dedicarmos tempo para refletir e, também, buscar ajuda para entender e construir um caminho que nos leve a vivenciá-lo.

Ao, enfim, compreendermos nosso propósito, nosso talento único que temos a oportunidade de colocar à disposição do mundo, podemos encontrar um trabalho que amemos e por meio do qual sintamos alegria e paz.

Mesmo para aqueles que não trabalham fora de casa, escolher ser "do lar" também é uma escolha profissional e precisa ser questionada, refletida. Conheço inúmeras pessoas que fizeram essa escolha pelos filhos e não por si mesmas. Então, mais à frente, pode bater um forte arrependimento e o sentimento de menos-valia, como se aquele não fosse um trabalho real. É preciso, sim, refletir, sentir, questionar nossas escolhas profissionais.

Mas se a pessoa ama trabalhar cuidando da família e de toda a rotina da casa, isso é um trabalho e deve ser valorizado como todos os outros. Inclusive porque é um dos trabalhos mais desafiadores que existem e exige muita inteligência emocional, organização e disciplina para que funcione bem pois, a depender da idade das crianças, este pode ser um dos trabalhos mais cansativos que existem, não tenho dúvidas.

Quando alguém comenta comigo que está insatisfeito com o trabalho, que já não aguenta mais e que irá tirar umas férias para se recuperar, eu sempre pergunto: e como você estará trinta dias após o retorno de suas férias? Você estará amando o seu trabalho porque tirou essas férias?

Porque a insatisfação com trabalho não se resolve com feriados ou férias. Resolve-se somente com a coragem para compreender o que está havendo, refletir sobre como se está lidando com o trabalho, pensar em novas possibilidades, elaborar plano de transição, pedir ajuda, estudar para ganhar novos conhecimentos, agir!

É triste ver o quanto as pessoas mantêm-se estagnadas, em grande sofrimento, para com trabalhos ou ambientes de trabalho que elas não amam. Percebo que a maioria delas fica onde está, mesmo infeliz, porque não tem a coragem de "trocar o certo pelo duvidoso". As questões financeiras e de status acabam sendo priorizadas.

Já atendi inúmeros clientes, executivos em suas próprias empresas ou em empresas de outros, ganhando remunerações altíssimas, porém quase em depressão, cheios de vícios e de estratégias de "fuga" para não precisarem lidar com a realidade e tomar uma atitude a respeito.

Às vezes, para melhor analisarmos uma situação, é preciso nos distanciar dela. São as tais pausas necessárias, podendo se caracterizar por períodos sabáticos, mais longos ou mais curtos. Ao sairmos do olho do furacão, podemos olhar com maior desapego para as razões que nos fazem permanecer em um contexto de sofrimento e, assim, decidir o que fazer. Eu nunca fiz um sabático (período sem trabalhar, geralmente dedicado a aprender algo novo, viajar, refletir e/ou descansar), ao menos não até este momento em que escrevo este livro.

Inclusive nem mesmo nas férias eu costumava me desconectar 100% do trabalho: estava sempre recebendo e encaminhando demandas de clientes e equipe. Mesmo sabendo da importância das pausas, o medo e a culpa eram mais fortes do que minha consciência, que clamava por mudanças de rumo. Eu sei que o preço de uma vida trabalhando em algo que não amamos, pelo medo de não encontrar algo melhor ou pelo medo da escassez ou por qualquer outra razão que seja, é muito alto.

Torna a vida muito menos feliz do que ela pode (e deve) ser. E, como bem diz o filósofo e professor Sérgio Cortella: "A vida é muito curta para ser pequena". Trabalhar com o que amamos, porém, não significará a ausência de chateações. Elas virão, inclusive para serem oportunidades de continuarmos evoluindo em nossas necessidades pessoais.

No meu primeiro dia aqui, na viagem que fiz para escrever este livro, às sete horas da manhã (eu mal tinha chegado na pousada, estava em trânsito de Recife para Maragogi), recebi uma mensagem de uma das gerentes de minha empresa, me informando que uma de nossas competentes colaboradoras tinha pedido demissão. Se você é empresário ou gestor, sabe o quanto perder alguém que está performando bem na equipe nos traz chateação. No momento em que li a mensagem em meu celular, eu imediatamente, por impulso mesmo, comecei a pensar: "Ah não, de novo não... Puxa vida, logo ela que promovemos há tão pouco tempo, que ingrata! Ah ela deve ter recebido proposta de trabalho de algum cliente ou concorrente nosso. Nossa, essa minha gerente precisava me incomodar com essa notícia logo no meu primeiro dia aqui?", e assim por diante. A irritação foi crescendo enquanto eu alimentava esses pensamentos. Mas graças ao meu processo de transformação, eu consegui perceber a tempo o rumo que eu estava tomando com meus pensamentos obsessivos. E comecei então a pensar: "Tudo se resolverá da melhor forma possível. Se ela realmente quiser sair, encontraremos outra pessoa e seguiremos performando bem. Se minha gerente me enviou essa mensagem, é porque ela precisava compartilhar essa angústia com alguém e essa pode ser uma oportunidade para ela aprender a se equilibrar também". À medida que alimentava os pensamentos úteis, eu me acalmava e um grande sorriso veio aos meus lábios. Senti-me tão orgulhosa de mim! Percebi o processo acontecendo na prática e me alegrei. Relaxei e voltei minha atenção para o que importava: o momento presente, aquele dia especial que começava e que seria esplêndido. E foi! A cada minuto, foi um dia muito lindo. Tudo se resolveu na empresa, a gerente conseguiu reverter a decisão flexibilizando questões de horário e local de trabalho para a colaboradora e ela continuou na empresa. Quando entendemos que nosso bem-estar, alegria e felicidade dependem primeiramente de como nós reagimos a todas as circunstâncias, aí sim podemos dizer que somos livres.

Esse princípio se aplica a todas as áreas de nossa vida, e é nele que eu encontrei a resposta para as minhas angústias.

Monitorar como nos sentimos, em cada momento da vida, observando e enfim compreendendo o que está por trás da nossa ansiedade, preocupação, reação impulsiva ou agressiva, de forma a termos autonomia para escolher como agir, é a chave para uma vida cheia de paz e realizações.

Quando vibramos na energia da alegria, da tranquilidade e do amor, estamos informando ao "universo" que queremos mais dessa energia em nossas vidas. Eu sinto que ainda há algo a se revelar em minha vida, relativamente ao meu propósito de inspirar as pessoas a despertarem.

E o melhor que eu poderia fazer foi decidir me concentrar no livro e deixar que o futuro se revele da forma que melhor representar os próximos passos necessários em minha jornada interior.

O importante é que nunca foi tão clara para mim a importância de amarmos o que escolhermos fazer, de mantermos o foco no que é essencial e de cuidarmos de nossas reações diante dos desafios cotidianos da atividade profissional, qualquer que seja ela.

A escolha da carreira e da profissão, assim como todas as escolhas de nossa vida, precisa ser baseada na energia do AMOR e não na do MEDO. Você está onde está hoje em sua vida, no trabalho e nos relacionamentos que mantém, porque os ama, ou por que tem medo de não conseguir nada melhor? Compreender qual energia está direcionando suas escolhas na vida é uma das maiores fontes de autoconhecimento possível.

Não deixe para descobrir a importância de viver uma vida cheia de alegria e amor no final da sua vida.

Eu hoje sinto que estou descobrindo o maior propósito de minha vida profissional: ser o exemplo de uma empresa espiritualmente inteligente, que conquista resultados de forma íntegra e compartilhada com a equipe e com a sociedade como um todo.

Minha forma atual de liderar é baseada em princípios como compaixão, generosidade, amorosidade, confiança e paz. Pode parecer muito "sonhador", porém eu tenho sentido, na prática, os efeitos maravilhosos desse novo estado de ser: pessoas mais felizes e conectadas com a empresa, desafios se resolvendo com muito mais facilidade e oportunidades aparecendo o tempo todo, gerando muita prosperidade.

Eu vibro a energia do amor em tudo que eu faço. E sei que é essa energia que me possibilitará experimentar ainda mais prosperidade e satisfação ao usar meus talentos em prol de um mundo melhor.

Hoje eu sei que minha maior missão é transformar minha empresa num exemplo de negócio espiritualmente inteligente, que promove um ambiente de respeito e oportunidade para todos, que equilibra o foco em resultados com o foco nas pessoas, que pratica a ética e a integridade nas relações, que leva alegria e oportunidades de crescimento para todos.

Tenho dedicado meu tempo a transmitir esse modelo para todos os membros de minha equipe, de forma que sirva de inspiração para uma grande transformação coletiva.

Eu acredito que uma empresa assim é uma empresa conectada com a energia da abundância, em que os objetivos se realizam de forma muito mais fluida e leve, sem o nível de desgaste e esforço que experimentei por vinte anos. Num mundo que valoriza o esforço, em que trabalhar duro, colocando todo o foco na vida profissional é sinônimo de comprometimento e sucesso, falar de equilíbrio, qualidade de vida, inteligência espiritual pode ser percebido como pura ingenuidade, ilusão, fantasia.

Compreendo que as pessoas, meus clientes, meus próprios colaboradores, possam me julgar como uma sonhadora. Então eu lhes direi, citando Jonh Lennon:

"Você talvez diga que sou uma sonhadora. Mas eu não sou a única! Eu espero que um dia você se una a mim e, então, o mundo será um só".

UMA JORNADA DE CURA E TRANSFORMAÇÃO

PONTOS-CHAVE DO CAPÍTULO:

- Reflita sobre seus talentos únicos num processo de descobrir seu propósito ou missão de vida.
- Avalie suas escolhas profissionais, o quanto estão lhe permitindo vivenciar ou não o seu propósito.
- Compreenda que seus resultados estão muito mais relacionados com a sua forma de ser do que dos objetivos que você alcança.
- Nunca limite suas possibilidades porque seu foco está nos obstáculos: prepare uma transição de carreira de forma a fazer a mudança com as condições mais favoráveis possíveis.
- Tenha claros seus valores e procure um trabalho ou empresa em que as decisões são tomadas com base nesses mesmos valores.

PARA SEU PLANO DE AÇÃO:

- Numa escala de 0 a 10, como está a sua satisfação com sua vida profissional?
- Qual o seu talento único, que é útil para o mundo e que compõe seu propósito pessoal, sua maior contribuição?
- O que o está impedindo de viver seu propósito?
- Quais ações você vai implementar para dar uma guinada em sua vida profissional, para que se sinta altamente motivado com seu dia a dia de trabalho?

RELACIONAMENTO ÍNTIMO

*"Amar não é olhar um para o outro,
é olhar juntos na mesma direção."*
Antoine de Saint-Exupéry

Eu me casei muito jovem, aos dezenove anos.

Queria a liberdade, vivia em conflito com meu pai, já era financeiramente independente e tinha um namorado pelo qual eu estava completamente apaixonada. Após nove meses namorando, nos casamos. Ele era cerca de seis anos mais velho que eu, portanto ambos éramos muito jovens.

Não demorou muito para eu perceber a dificuldade que seria nosso convívio, porque éramos muito, mas muito diferentes. Desde nossa referência de família aos gostos, ao jeito de ser, enfim, simplesmente não combinávamos. Mas nos amávamos de verdade e fizemos nosso melhor, cada um do seu jeito, para que o casamento desse certo.

Eu tentei me moldar ao jeito de ser dele, porque ansiava por sua aprovação, por seu reconhecimento, por me sentir amada profundamente.

Tornei-me amiga dos amigos dele, ia aos ambientes a que ele gostava de ir, me distanciei de minhas amigas da faculdade, vivia em função de agradá-lo (ao menos era assim que eu me sentia).

Meu desejo por liberdade, por viajar, por crescer e expandir meus horizontes ficou guardado dentro de mim, pois naquele casamento eu não conseguia enxergar espaço para isso. Se eu quisesse, seria sozinha, por minha conta. Não teria a companhia dele, que valorizava outras coisas, como estar tranquilo em casa, envolvido nas atividades dele, de que ele tanto gostava e se realizava. Eu senti que fui "murchando" aos poucos naquele relacionamento. Os conflitos foram aumentando, porque eu, com minha atitude autoritária e agressiva, com certeza criei muitos momentos difíceis em meu casamento, aumentando a desconexão que já existia desde o início.

Com o nascimento da minha primeira filha, Yasmin, eu me voltei ainda mais para cuidar dos outros, olhando pouco para mim, para como eu me sentia naquele relacionamento. Sem sombra de dúvida, eu devo ter sido a mãe mais coruja (e insuportável) de todos os tempos, pois eu não deixava ninguém me ajudar com meu bebezinho, era obcecada por minha filha, naquela primeira experiência da maternidade. Mergulhei na experiência da maternidade como quem foge daquilo com que não consegue lidar. Entrei em terapia, porém, tão jovem que era, só conseguia direcionar o foco a tudo aquilo que o outro não conseguia ser para mim, para satisfazer meu ideal romantizado de relacionamento conjugal.

Com o tempo, os desajustes de meu relacionamento foram aumentando. Com a chegada de minha segunda filha, Emanuela, eu já sentia que a separação estava iminente, pois já não tinha mais motivações para insistir.

Talvez você esteja se perguntando: mas por que ter um segundo filho em um casamento já desgastado?

Bem, eu sempre fui persistente. E quando a gente não se ama o suficiente, a gente acha que ama o outro perdidamente, que não há vida sem aquela pessoa ao nosso lado. Por isso eu batalhei muito para que meu casamento desse certo. Fiz tudo que acreditava que poderia fazer: fui para a terapia, tentava sempre conversar e compreender o que poderíamos fazer para que desse certo, cedia para agradar, me preocupava sobremaneira com o que ele sentia sobre mim. A verdade é que eu esperava (e cobrava) um jeito de ser que não era dele. Eu queria atenção, romantismo, proximidade, afeto. Quanto mais eu cobrava, mais ele se afastava.

Eu poderia ter ficado ainda muitos anos casada, vivendo infeliz, não fossem os processos terapêuticos, de *coaching* e todos os treinamentos que eu decidi fazer para me desenvolver profissionalmente e que me ajudaram a enxergar a verdade sobre mim. E quando a gente enxerga algo sobre nós, isso não se limita a uma área apenas da vida.

Lembro-me como se fosse hoje do dia em que eu consegui perceber a minha razão para continuar casada, mesmo com tanta infelicidade (ele tinha as razões dele também para estar infeliz casado comigo, sem sombra de dúvida). Eu estava no Rio de Janeiro, no final de 2005, em um congresso sobre várias metodologias que poderiam ser aplicadas a processos de *coaching* de vida. E me vi ali, numa sala com umas duzentas pessoas, num *workshop* de constelações organizacionais, com nada mais nada menos que Bert Hellinger, o criador da teoria das constelações e precursor do método em todo o mundo.

Era a primeira vez que eu "constelava" e não tinha ideia de quem era ele, do ser humano e profissional espetacular que estava ali bem na minha frente. No final do processo, naquele dia inesquecível, eu senti que estava entregando a meus pais uma crença que eu tinha, mas que não me pertencia! Pertencia a eles, a meus pais. A crença de que "casamento é para sempre".

Chorei muito, mas muito, mas muito, ao compreender aquilo. Meus pais passaram por muitos desafios em seu casamento e optaram por continuar juntos, pelas razões que só eles conhecem, e que só lhes diz respeito. Eu honro a escolha que fizeram, como seu legítimo direito, seu livre-arbítrio. Mas eu escolhi diferente, com a liberdade que tenho e que acredito todos têm de sair de um casamento em que já não conseguem mais encontrar razões para continuá-lo, tamanha a desconexão entre o casal.

E assim, após onze anos de casamento, com duas crianças pequenas, decidimos nos separar. Carregando toda a dor e o sentimento de fracasso que fica nessas horas, com a responsabilidade de criar as meninas, com medo do futuro... Um período bastante difícil em minha vida. Mas como nada é permanente, o sofrimento passou. E eu tirei grandes aprendizados dele! Percebi o quanto eu estava me forçando a ser outra pessoa. O quanto eu me negligenciava para fazer tudo que achava que o outro desejava de mim. O quanto eu exigia do outro o que ele não tinha para me dar porque ele era simplesmente muito diferente de mim.

Percebi o quanto eu vivia na ilusão, na expectativa irreal, de mudar o outro. E que não estava direcionando o foco ao que eu controlava: apenas eu mesma, minhas atitudes, minhas crenças, meu processo de amadurecimento. Eu, com minhas críticas e cobranças frequentes, também fiz com que meu ex-marido se sentisse inadequado, não compreendido ou amado. Ambos estávamos sofrendo, porém não soubemos evoluir juntos, simplesmente não conseguimos. Foram anos sofrendo, por falta de compreensão profunda acerca do que estava acontecendo ali entre nós. Eu precisei passar por isso, para aprender e me preparar para um novo casamento, em que eu me sentisse parte de algo maior, num nível real e profundo de conexão com outro ser humano.

E então aprendi que ser autêntico é um dos pilares de uma vida feliz, não só no casamento, mas em todos os relacionamentos que vivemos.

Amar quem somos, do jeito que somos, com todas as nossas imperfeições, é fundamental para podermos amar o outro, respeitá-lo por quem ele é. Precisamos estar à vontade para mostrar as rugas, as cicatrizes, a celulite, as gorduras, o que quer que tentemos normalmente esconder por trás de tantos artifícios, da ilusão da matéria, de tudo que não permanecerá.

Não estou dizendo que quem se ama não precisa ter vaidade alguma, se maquiar, pintar o cabelo, tratar rugas, gorduras etc. Não considero, de forma alguma, que cuidar de sua aparência seja um sinal de falta de autenticidade, muito pelo contrário! O que estou dizendo é que precisamos, antes de tudo, nos amar, aceitando o que temos de lindo e de feio, o que temos de bom e de ruim. Aceitar não significa gostar, porém também não significa que precisamos esconder algo do outro, receosos de que isso seria um fator de menos-valia.

Estar em paz com sua própria aparência física é algo que a maturidade nos proporciona, e eu confesso ter encontrado nesse lugar uma paz imensa. Demorou pouco tempo para encontrar um novo amor. Eu ainda estava machucada com tudo que havia vivido antes, ainda não conseguia ter a clareza profunda sobre tudo que eu precisava transformar em minha forma de compreender o casamento, mas, mesmo assim, me apeguei profundamente àquele homem que surgiu em minha vida de maneira tão peculiar. Um pouco mais de um ano da separação, eu começava um novo relacionamento. Posso dividir, seguramente, meu segundo casamento em duas fases: antes e depois do câncer.

Antes do câncer, por onze anos, praticamente repeti muitos dos equívocos que tive no meu primeiro casamento. Apesar de ter aprendido muitas coisas, principalmente a ser sempre autêntica, eu continuava em meu modelo altamente exigente e demandante, crítico e, muitas vezes, agressivo diante das situações em que as coisas não aconteciam da forma que eu gostaria. À medida que fui percebendo com clareza como eu funcionava e o impacto de minhas atitudes em meu relacionamento, fui aprendendo novas formas de agir ou reagir, amadurecendo para um estilo mais leve e flexível.

Com a experiência da doença e tudo que ela representa – o medo da morte, o repensar da vida como um todo –, muitas de minhas atitudes mudaram completamente e ficaram nítidas em todos os meus relacionamentos (principalmente no meu casamento).

Percebo que nós temos a tendência de cuidar muito mais de nossos comportamentos no ambiente profissional do que no ambiente pessoal. Hoje eu vejo isso com clareza e considero uma triste realidade! É como se aqueles que merecem o nosso melhor ficassem com o pior. Porque, no trabalho, as consequências de nossas atitudes equivocadas podem ser grandes e imediatas, representando perdas que não desejamos.

No ambiente pessoal, o processo é mais longo, porque, como há amor envolvido, acabamos relevando, perdoando ou esquecendo aquilo, até que aconteça novamente. Esse ciclo pode se manter por muito tempo, talvez por toda a vida. Porém a probabilidade de ele se romper é enorme, principalmente no mundo de hoje, em que as pessoas tendem a abrir mão rapidamente daquilo que não consideram plenamente satisfatório para si mesmas. Graças a Deus eu estava consciente de mim, em um outro nível.

As mudanças foram e continuam sendo muitas, na forma como me relaciono hoje em dia no casamento. Grandes aprendizados que me dão uma sensação muito gostosa de autorreconhecimento porque eu sei o quanto foram mudanças difíceis de serem feitas, quantos e quantos anos demorei para aprender! Claro que aprendo a cada dia a ser uma melhor esposa, uma melhor companheira para ele. Mas, acima de tudo, eu aprendi a deixar tudo fluir, a não querer forçar um "caminho único". Acredito que a visão católica do casamento, em que "dois se tornam um após se casarem", é um grande equívoco que nos coloca em uma armadilha difícil de escapar. Porque é preciso reconhecer que um casal será sempre formado de dois seres humanos distintos, com passados e referências diferentes, que escolheram seguir juntos pela vida, aprendendo e crescendo, na melhor das hipóteses.

Por isso aprendi a mostrar quem eu sou. Não escondo minhas opiniões, não escondo minha falta de conhecimento sobre determinados temas que meu esposo considere básicos, por exemplo. Não tento parecer mais inteligente intelectualmente do que sou. Sei muito sobre algumas coisas e nada sobre outras. Assim como todo mundo. Não preciso que ele me considere nada além do que eu realmente sou para me amar. Que ele me ame exatamente como eu sou. E que ele escolha estar ao meu lado de forma clara e transparente.

Uma outra grande lição que aprendi é que eu não tinha que o tratar como um filho, preocupada com o que ele comeria, com as roupas que não estavam adequadas ao contexto (em minha visão, claro), com as escolhas profissionais que ele fazia, por exemplo. Essa é uma tendência das mulheres de forma geral, de tratarem seus maridos como filhos. Saber o que é seu e o que é do outro permite que possamos dialogar com respeito, na busca do consenso. Aprendi sobre a importância da conexão íntima com nosso parceiro, de estar efetivamente presente para o outro, de me importar com o que ele está sentindo diante dos desafios cotidianos que precisa enfrentar. Na correria do dia a dia, com tantas atribuições profissionais, com filhos para cuidar, entre outras demandas, vejo como os casais acabam perdendo essa conexão, se distanciando a ponto de simplesmente conviverem sob o mesmo teto, mas já não mais compartilharem a vida um com o outro. Ficam juntos, muitas vezes, por puro comodismo ou medo de recomeçar.

Todos os casais precisam cuidar do tempo a dois. Precisam pensar em momentos especiais todas as semanas, só os dois, para conversarem sobre seus planos de vida, seus projetos, seus sonhos, seus aprendizados. Não é para falar de trabalho, nem de filhos! Isso já fica para a rotina, o cotidiano.

São nos momentos "só para os dois" que o amor é renovado, pois voltamos a olhar nos olhos, a beijar na boca (com vontade), a reacender a chama. Precisamos CUIDAR de nosso tempo juntos. Precisamos ter viagens só como casal, realmente estar juntos. Esse é um cuidado essencial que devemos ter, cultivando o relacionamento a dois todos os dias.

Eu aprendi a deixar minha marca registrada, o bom humor, trazer à tona a criança que existe em mim (e em todos nós). Faço careta, dou risadas de manhã do meu cabelo bagunçado (com a quimioterapia meus cabelos ficaram realmente impossíveis). Faço "dancinhas ridículas" em momentos do cotidiano, para celebrar pequenas alegrias como, por exemplo, minhas sobrancelhas que voltaram a aparecer após terminada a quimioterapia.

Aprendi a respeitar o tempo que meu companheiro precisa para refletir e digerir os incômodos, em vez de ficar insistindo em resolver as coisas no meu tempo.

Ele sempre me dizia que precisava de tempo para processar as chateações, por menores que fossem. Como sou alguém que se esquece de pequenos incômodos cinco minutos depois, eu tinha a expectativa (e cobrava) de que ele fosse exatamente como eu. Daí eu ficava ali, insistindo para ele "sair da toca", de forma completamente irritante. Hoje eu simplesmente o deixo tranquilo. Aprendi a olhar o que ele tem de melhor, todas as vezes que minha mente tenta me colocar na armadilha de olhar o que falta na minha expectativa de "marido perfeito". Nossa, impressionante como temos a ilusão de que encontraremos alguém com todos os requisitos do parceiro ideal! Como se nós fossemos perfeitos... Precisamos, claro, saber o que é essencial para nós, com base em nossos valores, em nosso jeito de ser. Por exemplo, eu não aceitaria de forma alguma conviver intimamente com um homem controlador, que quisesse decidir como eu deveria me vestir, aonde e com quem deveria sair. Impossível dar certo. Porém conheço mulheres que convivem com homens assim e não se incomodam. Eu fico surpresa, claro. Mas compreendo que cada pessoa é completamente diferente da outra, sentindo-se bem em relação a atitudes com as quais outros se sentiriam muito incomodados.

O importante é se conhecer e compreender o que é importante para você. Se você quer a companhia de alguém que ame a bagunça, as festas, as baladas, ou queira um companheiro mais caseiro e intimista. Tudo começa, portanto, em nos conhecermos o suficiente para saber o que é essencial para nós no outro. Aprendi, também, a prestar atenção a meu esposo e reconhecer a criança que está ali também, carente, esperando por amparo e amor, em vez de criticá-lo e julgá-lo diante dos erros cometidos. Isso é ter empatia e compaixão, habilidades fundamentais para se amar verdadeiramente.

Aprendi a falar com amor sobre o que eu espero e preciso dele, em vez de reclamar. As pessoas, de forma geral, somente reclamam. Dizem que isso ou aquilo não está bom, que "não aguentam mais", só conseguem criticar. Aprender a dizer o que precisamos é a melhor forma de o outro compreender nossas necessidades e se dispor a fazer o maior esforço possível para atendê-las. Diante de reclamações, a tendência do outro é ficar na defensiva e o conflito se estabelece ou se agrava. Um começa a sentir que não é suficiente para o outro, que não faz o outro feliz. E esse é só o início do fim. Aprendi a respirar fundo e relevar pequenos equívocos, para não exaurir o casamento de tantas chateações irrelevantes. Qual o problema se a pessoa tem algum pequeno hábito irritante? Quem não tem? Por exemplo, deixar roupa jogada no chão, precisar ser chamado várias vezes antes de largar o computador para vir jantar... Todos nós temos hábitos irritantes que, se formos o tempo todo cobrados para agir diferente, da forma como nosso parceiro deseja, vai ser desgastante demais, não valerá a pena de forma alguma, melhor relevar e deixar a cobrança por uma mudança de hábito para algo realmente importante, que esteja causando danos reais ao relacionamento e que, por isso, vale uma conversa, sentarmos, combinarmos, dialogarmos e traçarmos compromissos verdadeiros de esforço para a mudança.

Aprendi a reforçar positivamente suas atitudes amorosas, elogiando e demonstrando minha alegria diante delas, para que ele sinta a motivação para repeti-las. Esse é um hábito que sempre ensinei em meus treinamentos de liderança.

Lembro-me de quando aprendi essa "técnica", em um curso sobre relacionamentos, que fiz em Londres. Os professores compartilharam um estudo feito com adestramento de baleias, no qual perceberam que, ao reconhecerem o acerto delas na sequência desejada dos exercícios, em vez de as punirem quando erravam (como era feito antigamente, cruelmente), a velocidade de aprendizado delas aumentou de forma substancial. Aprendi, também, a buscar conciliar meus interesses com os de meu esposo, sendo flexível para abrir mão do que eu desejo de forma equilibrada, para o bem-estar de ambos, de forma que possamos sentir que os desejos de nós dois estejam sendo atendidos em nosso relacionamento.

Antigamente, eu, mesmo já adulta, continuava aquela adolescente intransigente, que queria as coisas do seu jeito, na hora que fosse. Sempre foi muito difícil para mim o ato de abrir mão dos meus desejos. No processo terapêutico, pude compreender a raiz dessa dificuldade, lá na minha infância, e trabalhar para transformar. Aprendi, ainda, a me manter sempre carinhosa, do jeito que sou, independentemente de ele estar sendo carinhoso ou não comigo, porque já não condiciono mais minhas atitudes às atitudes dele. Eu simplesmente sou eu mesma, todo o tempo. Vejo o quanto as pessoas tendem a condicionar suas ações às ações do outro. Aprendi a reconhecer meus erros sem dizer "mas você também...".

Aprendi a amar de verdade. E encontrei o melhor esposo que eu poderia ter. Precisamos cuidar com muito carinho de nosso casamento. Regar, todos os dias, com atitudes de amor.

Lembrar que antes dos filhos eram só os dois... Isso não pode se perder. Muitos casais que têm filhos colocam os pequenos para dormir no quarto do casal, desde cedo e até praticamente a adolescência. Isso é um erro gravíssimo, que distancia o casal, que o impede dos momentos de intimidade fundamentais para o cultivo do amor e da paixão um pelo outro.

Eu encontrei meu grande amor em meu segundo casamento.

Encontrei alguém que me aguenta! Que tolera minha independência. Que aguenta meu "excesso de bom humor matinal", como ele gosta de repetir. Alguém que me apoia, que está sempre ao meu lado.

Alguém que me acompanhou em cada exame, em cada quimioterapia, em cada radioterapia, na cirurgia, nas consultas. Que acordou de madrugada para me aconchegar nos braços nas noites de desespero, de muito medo. Alguém que procurou esconder seu próprio medo para que eu não me sentisse ainda mais triste com tudo que eu estava passando.

Alguém que faz de tudo, todos os dias, para ser o melhor padrasto do mundo para nossas filhas, que o amam como amam ao pai biológico.

Eu escrevo estas palavras chorando copiosamente, porque sinto uma gratidão tão profunda a Deus por essa benção!

E porque desejo que todas as pessoas do mundo possam encontrar o amor de forma autêntica e plena.

Talvez você seja alguém que não deseja ter um relacionamento íntimo... Talvez já tenha sofrido demais em algum outro, ou já se veja em uma idade que não deseja recomeçar esse longo e desafiador processo chamado casamento. Você tem todo o direito e eu realmente acredito que nenhum de nós precise se casar para viver uma vida plena e feliz.

Porém eu sei, do fundo do meu coração, o quanto a gente pode crescer e evoluir pelo casamento, pelo relacionamento íntimo de forma geral. Porque o exercício diário de aprender a conviver, a respeitar o outro, a se respeitar, a encontrar caminhos com o outro, a construir possibilidades a dois é muito difícil e, quando o aceitamos de coração aberto, podemos amadurecer demais. Por isso vale tanto a pena.

A maioria das pessoas que eu conheço ou está buscando um parceiro ou está infeliz com o atual. Sei que para um casamento dar certo ambos precisam querer que dê certo.

Vejo mulheres que se separaram e que, na busca por um/a novo/a parceiro/a, usam e abusam de sua imagem, se tornando o mais sensuais possível, para atrair alguém. E depois, quando atraem alguém que só está buscando prazer sexual momentâneo, se decepcionam.

Vejo homens que se separaram e que olham todas as mulheres como alguém que quer "prendê-los" e não conseguem estabelecer um relacionamento maduro, com uma companhia agradável, em que tanto o sexo quanto a amizade façam parte.

Eu aprendi algo muito importante com meu querido professor, Dr. Joe Dispenza: "Seja a pessoa que você gostaria de ter em sua vida". Então, antes de tudo, devemos ser a pessoa que desejamos!

Se queremos alguém carinhoso, devemos nos tornar mais carinhosos. Se desejamos alguém alegre, devemos nos tornar mais alegres.

E assim sucessivamente, para cada "item" na lista de pessoa ideal que você elaborar. Seja a pessoa que você deseja ter em sua vida.

E se surpreenda com o que o Universo trará para você.

Não são os opostos que se atraem, são os similares. Você irá atrair para seu universo alguém com a mesma energia que você emana. Então, olhe para você, transforme-se em alguém cada vez melhor e veja como sua vida irá se tornar também melhor, lhe oportunizando um verdadeiro parceiro de jornada. Nenhum relacionamento é ou será perfeito um dia. Sempre haverá conflitos, porque isso é inerente à condição humana. Mas quando estamos em harmonia, cultivando o estado belo, a bem-aventurança, aprendemos a não nos conectarmos com o sofrimento. Quando as adversidades do relacionamento surgem, simplesmente não nos conectamos com elas! Nós as deixamos ir, sem drama, lembrando-nos de que escolhemos estar em paz ao não alimentar a auto-obsessão, que é a preocupação excessiva consigo mesmo, com as próprias necessidades e desejos.

Escolha ser o melhor companheiro para seu parceiro! Escolha cuidar daquilo que lhe cabe: a forma como você funciona. Direcione o foco para se tornar um/a esposo/a cada vez mais amoroso/a, presente, alegre, autêntico/a.

Essa é a única forma de você manifestar em sua vida um relacionamento íntimo profundamente valioso.

PONTOS-CHAVE DO CAPÍTULO:

- Autenticidade é tudo: nunca finja ser alguém que você não é, somente para agradar o outro.
- É fundamental respeitar o tempo do outro para digerir os incômodos.
- Releve pequenas atitudes que não valem a pena o desgaste.
- Reserve tempo somente para o casal, para manter a chama.
- Conecte-se genuinamente com o outro, demonstre se importar de verdade com o que ele sente, com seus sonhos, objetivos e necessidades.
- Ninguém deve ficar num casamento ou relacionamento que não represente uma parceria real, com compartilhamento de valores.
- Torne-se o parceiro que você deseja ter!

PARA SEU PLANO DE AÇÃO:

- Numa escala de 0 a 10, o quanto você está satisfeito com seu relacionamento íntimo?
- Quais atitudes você tem que são contributivas para seu casamento?
- Quais atitudes você tem que não se somam para um casamento feliz?
- Como você pode se tornar um/a parceiro/a mais amoroso/a, mais presente, mais flexível, mas autêntico/a em seu casamento?
- O que o está impedindo de se tornar a pessoa que você deseja ter como companheiro/a de vida?

8

FAMÍLIA

"A família não nasce pronta; constrói-se aos poucos e é o melhor laboratório do amor. Em casa, entre pais e filhos, pode-se aprender a amar, ter respeito, fé solidariedade, companheirismo e outros sentimentos."
Luís Fernando Veríssimo

Dividi este capítulo em duas partes: na primeira, falo da minha experiência e aprendizado sobre a maternidade, do meu relacionamento com minhas filhas. Na segunda parte, falo de meus relacionamentos com os demais familiares, com os quais convivo muito proximamente.

Escolhi escrever este livro numa pousada simples e aconchegante, de frente para a praia, que oferece somente refeições veganas e vegetarianas no seu cardápio. Nesse recanto, eu senti a tranquilidade de que precisava para me inspirar e finalmente iniciar este livro, que há mais de três anos eu pretendia escrever.

Num dos cafés da manhã, eu conheci uma colaboradora da pousada, muito gentil e prestativa, que fez de tudo para me agradar, sabendo de minha dieta vegana e do fato de eu não comer açúcar. Naquele dia, ela foi ainda mais atenciosa preparando para mim um "leite de semente de melão", já que eu queria um cappuccino vegano e, naquele dia, não havia leite de amêndoas nem de coco disponíveis. Fiz questão de agradecer a ela com muito carinho, pois ela tinha sido mais do que uma ótima funcionária da pousada: tinha sido amorosa comigo, de uma forma muito linda, completamente desprendida, sem nenhuma outra pretensão que não fosse me cercar de cuidados, me fazendo sentir muito bem-vinda ali.

Então, após finalizar meu café da manhã, eu parei no corredor onde ela estava limpando uma mesa e perguntei sobre ela, sobre a vida dela. E ela me contou que sua filha mais velha fora diagnosticada com uma doença autoimune que muito a afetava fisicamente. Ela me contou que a filha praticamente foi criada pelo pai e que, somente depois de bem mais velha, as duas voltaram a conviver mais proximamente. Contou-me que a doença as unira, e do quanto ela admira a filha que, mesmo com a doença, se mantém alegre, confiante, vivendo uma vida feliz. Eu percebi, nos seus olhos marejados de lágrimas, a culpa no coração.

A culpa por não ter criado a filha desde pequenina... Por sentir que a abandonou. Então eu olhei bem nos olhos dela, peguei sua mão e lhe disse "Você fez o melhor que podia fazer naquele momento. Agora você está tendo a oportunidade de se reconectar com ela e demonstrar todo o seu amor. Perdoe-se! Todos os pais, principalmente as mães, sempre sentem que ficaram 'devendo' para seus filhos, que não foram boas o suficiente. Então, aproveite a oportunidade que a vida lhe deu de aprender a cozinhar refeições saudáveis, e ajude sua filha a se alimentar cada vez melhor, para que ela se recupere ainda mais dessa doença que se manifestou em seu corpo físico. É a vida lhe dando a oportunidade de finalmente se reconectar e demonstrar a ela todo o imenso amor que você sente por ela". Ao falar isso, ela se emocionou ainda mais, sorriu e me agradeceu. E eu me senti extremamente feliz por ter feito o bem a quem tanto precisava, simplesmente amando-a e a ajudando a se amar.

Quis contar essa história aqui neste capítulo porque ela representa o que provavelmente todos os pais e mães do planeta sentem: culpa por não terem sido bons o suficiente para seus filhos. Carregar essa culpa é um grande fardo, que nos traz não somente mais sofrimento, mas, principalmente, nos leva a atitudes que não são benéficas para nossos filhos, como, por exemplo, não estabelecer limites, na ilusão de que fazer tudo por eles possa diminuir a sensação de não termos sido boas o suficiente para nossos filhos. Foi assim que eu me percebi como mãe, com uma enorme carga de culpa em meu coração.

Nos últimos anos de meu primeiro casamento, eu estava sofrendo demais, infeliz no relacionamento e incapaz de encontrar uma saída. Foi naquele cenário, com a minha filha mais velha com apenas cinco anos de idade, que eu engravidei de minha filha mais nova. Passei toda a gravidez praticamente chorando, sem saber o que fazer para lidar com aquele sentimento de solidão que eu tinha no casamento.

Eu era uma jovem mulher de apenas vinte e nove anos. Naquele contexto, conseguir trabalhar, cuidando da empresa com o afinco com que sempre cuidei, estar presente para minha filha mais velha, gerar e dar à luz minha filha mais nova, lidando com uma crise intensa em meu casamento, foi muito desafiador, e eu sempre me sentia "em dívida" para com alguém.

A carga emocional e física em que eu me coloquei era tão intensa que a única forma que eu encontrei de "sobreviver" naquele momento foi me alienar, de forma a não pensar no que eu estava vivendo. O preço da minha "estratégia de sobrevivência" foi que eu não conseguia estar realmente presente para minhas filhas. Eu estava em corpo, mas minha mente divagava, como se precisasse fugir para outro lugar, para não se conectar com a verdade que estava à minha frente: eu precisava mudar, fazer algo para sair daquele sofrimento. Eu me lembro de que fantasiava estar em outro lugar ao mesmo tempo que olhava para aqueles dois seres vivos que eu tanto amava, sentindo a culpa tomar conta de meu coração. Eu estava dividida entre meu desejo de viver com alegria e liberdade, e todas as responsabilidades da maternidade, pois sabia que as meninas dependiam de mim e eu nunca as abandonaria, nem que isso custasse a minha felicidade, a minha própria vida. E foi nesse estado de sofrimento que passei toda a gravidez de minha filha mais nova e seus primeiros dois anos de vida, até me separar.

Poucos meses após a separação, recebi um convite para um intercâmbio profissional nos Estados Unidos, pelo Rotary Clube. Fiquei muito motivada a ir, porém minha caçula tinha apenas um ano e meio. Como eu poderia ficar quase quarenta dias longe dela, tão novinha? E minha filha mais velha, com menos de sete anos, sofrendo a separação recente, como ela ficaria longe da mãe? Todas as dúvidas me levavam a desistir do convite, porém eu queria tanto, mas tanto, aquela experiência de vida! Era exatamente o que eu vinha sonhando, liberdade para conhecer o mundo, para viajar, para me redescobrir, para recomeçar.

Minha mãe, meu anjo nesta vida, me chamou e disse: "Vá, filha, você precisa desse tempo para você. Não se preocupe com as crianças, eu ficarei com elas, elas ficarão bem. Pode ir tranquila, será o melhor para todos".

E eu fui. E foi a melhor decisão que eu poderia ter tomado naquele momento, apesar de ter chorado todos aqueles quarenta dias, de saudades e de culpa por tê-las deixado para fazer a viagem. Na época, a internet era muito ruim e eu só conseguia falar com elas eventualmente, o que me trouxe ainda mais sofrimento, mais sentimento de culpa. Eu sabia que elas estavam fisicamente bem, sendo cuidadas com muito amor por meus pais, mas eu me conectava com a tristeza que acreditava que elas estavam sentindo, por estarem longe de mim.

A viagem foi maravilhosa, por inúmeras razões. Primeiro porque me ajudou a iniciar verdadeiramente o processo de cura da separação, já que conseguia, finalmente, enxergar vida após o divórcio. Ademais, aquela viagem ampliou minha visão de mundo, me permitiu melhorar a fluência no inglês e, também, foi a oportunidade para eu conhecer uma pessoa muito especial, um norte-americano o qual namorei por alguns meses após a viagem, que me ajudou a olhar novamente para mim e para o valor que eu sempre tive.

Mesmo feliz em ter optado por viajar, a culpa de ter deixado as meninas por tantos dias me consumiu por muitos e muitos anos. Somente nestes últimos anos eu consegui superá-la, reconhecendo, com compaixão, que eu fiz sempre o melhor que eu pude nas condições de maturidade emocional que tinha. Ter filhos é a coisa mais maravilhosa e, ao mesmo tempo, uma das mais difíceis experiências dessa vida.

Não consigo descrever amor maior no mundo do que o que sinto por minhas filhas.

Lembro-me de ter tido que ser sedada no parto de minha filha mais velha, tamanha a emoção que senti ao ouvir seu choro ali na sala de parto, pois meu coração acelerou demais. No parto de minha filha mais nova, tive a oportunidade de vivenciar uma experiência única, de sentir a dor e a alegria de trazer minha segunda filha à vida, um bebê enorme, a coisa mais linda do mundo. Todos da maternidade queriam conhecer aquele bebê que tinha acabado de vir ao mundo de parto normal. Acho que na época esse tipo de parto já era raro, ainda mais com um bebê com o peso que ela tinha (quatro quilos e meio), então aquilo praticamente virou um espetáculo a ser visto no hospital. Ter filhos é maravilhoso porque o amor que sentimos é surreal. Nossa vida de estende às vidas deles, nos sentimos felizes, celebramos as conquistas deles, torcemos por seus projetos, por seus sonhos, rimos de suas peripécias, choramos de emoção quando eles apresentam aquela dancinha no jardim de infância, no Dia das Mães.

Ter filhos é, também, o maior desafio que alguém pode se propor. É muito difícil educar uma criança. Podemos ler todos os livros sobre educação infantil do mundo que, ainda assim, nunca nos sentiremos seguros o suficiente para saber como agir em cada situação que vivenciamos ao sermos pais.

Sou grata por ter aprendido lições importantes sobre a maternidade. A primeira delas: precisamos ter compaixão por nós mesmos, pelos erros que cometemos na criação de nossos filhos. Somos seres imperfeitos, cheios de pontos cegos. Impossível que tenhamos todas as respostas e que consigamos agir de forma eficaz em momentos que não temos a menor ideia de como agir.

Sentimento de culpa em relação aos filhos nos coloca na grande armadilha de falarmos "sim" quando deveríamos falar "não", de não estabelecermos limites. E sabemos o que acontece com crianças que não têm limites: sua tendência "ditatorial" se estabelece e passam a exigir que tudo gire em torno dos seus desejos infantis. Mordem, batem, gritam, dão "chiliques" em tudo quanto é lugar. Os pais ficam ali, morrendo de vergonha das atitudes dos filhos ou pior: respondem usando da mesma moeda, batendo, gritando, dando "chilique" também.

Eu criei minhas filhas com a prática do "canto do castigo". Nunca precisei bater, inclusive sou totalmente contra qualquer tipo de agressão física e verbal a qualquer ser humano, seja filho ou um completo desconhecido. Quando minhas filhas agiam de forma inadequada, elas ficavam por cinco minutos sentadas sem poder brincar, num cantinho da sala. Claro que elas choravam e queriam sair após trinta segundos, principalmente no início do processo. Depois, com o tempo, se eu dizia "vou contar até três; no três você ficará de castigo", já no "um" elas paravam. A técnica do castigo continuou inclusive na adolescência, de forma que elas aprenderam, assim, algo extremamente importante que cabe aos pais ensinarem: existem consequências para nossas escolhas.

Se a criança ou jovem percebe que os pais apenas ameaçam, mas nunca efetivamente agem diante de atitudes ruins, o que aprende é que não há consequências, então pode continuar agindo como sempre agiu. A segunda lição que aprendi sobre a maternidade é a nossa responsabilidade em ajudar nossos filhos a se sentirem seres valorosos.

Para isso, nós, pais, precisamos prestar muita atenção ao nível de criticidade que usamos com nossos filhos. Se eles crescem ouvindo muitas críticas, sentindo-se inadequados, provavelmente tornar-se-ão adultos inseguros, com problemas de autoestima.

Eu compreendo que nossa intenção, como pais, ao criticar nossos filhos, é sempre de ajudá-los. Porém devemos aprender a fazer isso da forma correta, com amor! Isso significa que devemos mostrar a eles a atitude que estão tendo, o impacto da atitude na vida, ajudando-os a buscarem novas formas de agir, porém não deixando, nunca, de elogiar e reconhecer todos os seus comportamentos e ações positivas.

Muito cuidado com a crença coletiva de que "se elogiar, estraga", pois ela é responsável por estragar a autoestima de praticamente todos os seres humanos.

Vejo muitos pais irritados e até raivosos com seus filhos. Porém, se eles pararem para analisar de forma profunda e desapegada, perceberão que muitas das atitudes de seus filhos são apenas um reflexo de sua própria atitude. Nós, pais, educamos pelo exemplo. Portanto precisamos estar muito atentos a nossos comportamentos, porque nossos filhos simplesmente irão repeti-los, de alguma forma.

Outra lição importante que aprendi foi de reconhecer que o sofrimento de cada um é sua jornada de cura. Que estar em contato com a dor trará amadurecimento. Essa é uma lição muito difícil, porque queremos preservar nossos filhos do sofrimento, o tempo todo.

Porém o sofrimento é fundamental para desenvolver resiliência, inteligência emocional.

Certo dia, ouvindo uma palestra de uma psicoterapeuta indiana, Dra. Shefali Shavari, gostei muito de um exemplo que ela usou.

Ela estava falando sobre como os contos de fadas acabam por ensinar fantasias e criar expectativas irreais nas crianças.

Ela citou, dentre outros, o desenho da Disney *A princesa e o sapo*. Na estória, o sapo é um príncipe que precisa do beijo de uma princesa para voltar a ser um príncipe, quebrando o feitiço que o transformara num sapo. Então, a moral da estória é que, com o amor e o afeto dela, ele voltará a ser humano.

Porém, na prática, para que o sapo volte a ser "humano", a princesa deveria jogá-lo contra a parede para que ele, ao sentir a dor forte do impacto, voltasse à sua forma humana.

Porque o sofrimento nos torna mais humanos. Ele nos faz um grande convite para olharmos para como estamos funcionando na vida e mudarmos. Então, é um erro querer, a todo custo, preservar nossos filhos, querer impedir que eles tenham experiências que sim, podem ser dolorosas, mas fazem parte do processo de amadurecimento. Pais superprotetores cometem esse grave erro, que afetará de forma significativa o desenvolvimento emocional dos filhos, sua capacidade de lidar com os desafios naturais da vida. Percebi que era exatamente assim que eu estava criando minhas filhas... Foi difícil fazer essa mudança, porque a culpa que eu carregava era a justificativa para eu querer "proteger" minhas filhas da vida como ela é. Uma grande ilusão.

Por último, aprendi sobre a importância de apoiarmos os sonhos e projetos de nossos filhos, mesmo que eles possam não estar alinhados com aquilo que acreditamos ser o melhor para eles. Nós, pais, temos a mania de querer interferir no que nossos filhos irão fazer com suas próprias vidas... Quantas vezes eu ouvi pessoas me criticando de forma velada por eu ter apoiado os sonhos de minhas filhas em seguirem carreiras artísticas. Frases do tipo: "Nossa, mas ser artista é uma carreira muito difícil, e ainda morando fora do País...", ou: "Ah, eu não deixo meu filho morar tão longe de mim, não". Não dar apoio aos sonhos de nossos filhos, não os deixar voar, é um dos maiores equívocos que os pais podem cometer.

Uma vida de frustração pode estar sendo desenhada para o filho que segue o que os pais desejam para ele, simplesmente para agradá-los.

Já atendi um cliente médico que me disse o quanto odiava a prática da medicina, mas que havia seguido esse caminho para agradar ao pai, também médico, mas que hoje se arrependia porque estava totalmente infeliz e queria mudar de carreira.

Nós, pais, não somos donos da vida de nossos filhos. Parece um tanto óbvio eu falar isso, mas é mais necessário do que parece ser! Vejo pais querendo definir tudo por seus filhos: o tipo de namorado/a que devem ter, a profissão a seguir, o tipo de amizade, e por aí afora.

Claro que nós queremos o melhor para nossos filhos. Mas será que nós sabemos o que é o melhor para eles? Acho um ato de arrogância pensarmos que sim. Queremos que eles sejam felizes, claro. Não queremos que eles sofram o que nós sofremos. Queremos que eles se sintam realizados, prósperos. Que amem e sejam amados.

Porém precisamos confiar na inteligência deles para as escolhas que só eles podem fazer! E confiar que eles aprenderão o que precisarão aprender, com as experiências de alegria e de dor que viverão, e é exatamente por isso que estamos todos vivos, para aprender e crescer.

Nossa missão, como pais, é apoiá-los nesse processo de crescimento, compartilhando valores, ajudando-os a consolidarem o amor por si próprios, demonstrando todo nosso amor e os aceitando exatamente da forma que eles são. Apoiar os caminhos que eles decidirem seguir na vida é uma forma de lhes dizermos: vocês têm merecimento e capacidade de criarem a vida que desejarem, e eu estarei sempre aqui para apoiar quando precisarem. Minhas duas filhas, no momento em que escrevo este livro, estão morando nos Estados Unidos. Vários amigos me mandaram mensagens quando viram a postagem em uma rede social sobre a ida da mais nova, há poucos dias, me perguntando "como estava o meu coração, pelo ninho vazio". E eu respondi a todos: "Obrigada por seu carinho e preocupação comigo; eu estou feliz, porque ela está feliz e é isso que importa".

Sim, sinto saudades de meus bebezinhos em casa... Das crianças correndo de um lado para outro fazendo travessuras. Hoje percebo que perdi muito da infância delas, pelo meu vício no trabalho, por minha desconexão comigo mesma. Mas eu não agi assim por falta de amor a elas, de forma alguma. Eu as amo incondicionalmente. E faço o meu melhor, todos os dias, para ser a mãe que as ajude a viverem a melhor vida possível.

Superproteção e ausência são os extremos que devemos sempre evitar para com nossos filhos.

Ambos os comportamentos têm efeitos gravíssimos na formação deles. Encontrar o equilíbrio entre direcionar e apoiar é o segredo do processo bem-sucedido.

Livre-se da culpa! Faça o seu melhor, sempre. Deite-se no travesseiro, ao final do dia, e se sinta leve, porque você fez tudo que poderia fazer diante de tão árdua tarefa.

Agora, vou falar sobre meu relacionamento com meus demais familiares: meus pais, meus irmãos, sogros, sobrinhos, primos, tios e cunhados.

Eu recebi a herança libanesa forte em meu sangue.

Para quem conhece a cultura árabe, os vínculos e laços de família são extremamente fortes. Chegam a ser invasivos, já que uns se sentem no direito de decidir sobre a vida dos outros.

Em minha família, herdamos a parte boa da cultura libanesa: a união. Procuramos estar o máximo de tempo juntos, compartilhando almoços nos finais de semana e nos falando por meio das redes sociais, com bastante frequência. Procuramos viajar juntos uma vez por ano, de forma a manter um convívio o mais íntimo possível, e até porque sempre nos divertimos muito juntos.

Eu cresci com esse modelo, muito forte em meus pais. Sempre me doei muito para minha família, como forma de cultivar a união.

Porém eu percebi que desenvolvi uma atitude que precisei rever: a expectativa de que todos da família fossem valorizar e praticar essa união, sempre e para sempre, no nível que defini como ideal.

Sempre priorizei a eles em detrimento de meus relacionamentos sociais com meus amigos. Inclusive priorizava estar com a minha família a estar somente com meu esposo, nos momentos em que ele preferia um pouco mais de quietude (coisa pouco provável numa família tão grande e tão barulhenta como a minha).

Eu confesso que adoro essa bagunça, todos rindo e falando ao mesmo tempo, mudando de assunto a cada cinco minutos, a gente simplesmente se diverte demais. Passamos muitos e muitos anos com pouquíssimos conflitos entre nós, mesmo a maioria dos irmãos e primos já casados e com filhos pequenos. Olhava em minha volta e via meus amigos vivenciando realidades muito diferentes, com a família distante, muito pouco unida.

Então sempre senti que havia sido abençoada em ter essa experiência, e assim continuo sentindo, independentemente de ter havido mudanças nesse contexto.

Eu reconheço que o tempo vai nos ensinando a dose certa das coisas, caso estejamos abertos a aprender.

Por exemplo, quando queremos borboletas em nosso jardim, não adianta ficarmos à espreita delas, esperando aparecerem para as capturarmos. Elas não ficarão por muito tempo, certo? Temos que cultivar nosso jardim para que ele seja lindo, cheio de flores, e elas queiram ficar.

Assim eu percebo hoje como as relações de família precisam ser. Devemos estar juntos nos momentos que sentimos vontade de estar, de conviver, de conversar.

Já não me cobro mais por "cumprir o protocolo" de estar quase sempre com minha família. Claro, eu continuo extremamente feliz em poder ter meus familiares em minha vida e compartilhar com eles o máximo possível.

Eu os amo imensamente e sou muito grata a Deus por essa benção. Mas eu também consigo perceber que, com o tempo, com os casamentos e novos membros vindo para o convívio familiar, as diferenças vão se tornando maiores, os objetivos, valores e interesses começam a se mostrar distintos e, muitas vezes, incompatíveis, gerando conflitos e desavenças, que impactam nos relacionamentos.

Estar bem, em paz, nesse contexto, é um dos meus maiores aprendizados! Porque eu sempre sofri muito diante dos conflitos que começaram a surgir em minha família, a ponto de me sentir na responsabilidade de resolvê-los! Temas que não me diziam respeito, em que o máximo que me cabia era escutar as partes e orar para que se entendessem, já que ninguém estava disposto a ceder, envolto em suas próprias necessidades individuais, no ego.

Eu saí da expectativa irreal de que as relações familiares que tínhamos sempre se manteriam em um convívio harmonioso e próximo.

Creio que todos podem olhar a família como o ambiente mais desafiador para treinarmos a nossa empatia, nossa capacidade de perdoar, de respeitar as diferenças, de relevar, de amar verdadeiramente.

Cheguei a pensar, diversas vezes, em morar em outra cidade, para estar mais próxima do mar. Porém eu não quero ficar longe de minha família e de meus amigos. Aprendi que não importa onde a gente está, mas, sim, com quem está. Sinto uma alegria profunda em poder compartilhar tanto com eles. Um dos grandes desafios dos relacionamentos (na família se mostra ainda maior) é o fato de rotularmos as pessoas com base nos comportamentos que elas demonstram com mais frequência.

Daí, passamos a julgá-las sempre com base naquele rótulo.

Inclusive a pessoa pode estar se esforçando de forma sobre-humana para melhorar, porém continuamos a julgá-la tendo o rótulo como base.

Eu, pessoalmente, já me senti muito triste por isso. Mesmo com todo o meu esforço de mudança, percebia os rótulos de meus familiares (e amigos também) a meu respeito. Compreender que é assim que as pessoas funcionam e que isso não diz nada sobre mim foi fundamental para eu ficar bem. Precisei sair do julgamento para poder conviver com alegria e paz com toda a minha família. Esse foi um passo importante para mim, que sempre valorizei tanto essa instância. Afinal, não viemos ao mundo para mudar ninguém! E, também, não devemos idealizar demais os relacionamentos: pessoas são pessoas, todas imperfeitas, como eu sou. Aprender a olhar o que cada um tem de bom, relevando a parte ruim, é sempre o segredo. Parar de querer mudar o outro, apresentando "nossa verdade" como única, é fundamental para estar em paz.

Continuo fazendo meu melhor para manter nossa união, promovendo e provocando momentos de convívio entre nós.

Mas hoje eu sei que estarmos ou não todos juntos, em harmonia, não diz nada sobre o amor que sentimos uns pelos outros. Antes, para mim, nós simplesmente "tínhamos que estar todos juntos, o máximo possível". Eu vivia com base no modelo de família que aprendi, com enorme dificuldade de usar da flexibilidade para entender as diferenças e as mudanças. Meu modelo de julgamento me fez experimentar inúmeros momentos de sofrimento em família, porque eu estava direcionando o foco ao que faltava. A nossa cegueira nos impede de olhar para o outro com desapego e sem julgamento, apenas com amor e compaixão.

Amadurecer também significa se desapegar daqueles que amamos! Isso não significa querer se distanciar deliberadamente. Mas, sim, entender que todos precisam de espaço para serem quem são, para estruturarem suas próprias vidas, para fazerem suas escolhas sem julgamentos.

Em meu convívio familiar, eu aprendi e aprendo muito, todos os dias! Ali eu aprendi a importância do silêncio, de não dizer o que penso o tempo todo, porque o outro pode não ter interesse em ouvir o que tenho a dizer ou pode não estar preparado para compreender minha intenção e minha visão. A verdade é que temos expectativas irreais sobre como nossos familiares deveriam ou não agir.

Enquanto não regularmos essas expectativas, lembrando-nos de que cada ser humano tem todo o direito de ser o que é, de errar, de acertar, de seguir caminhos diferentes dos nossos, estaremos em sofrimento e frustrados. Hoje eu agradeço simplesmente por saber que cada familiar meu existe em minha vida. Agradeço a vida de cada um e penso sempre em como eu posso aprender com eles a ser uma pessoa melhor.

Procuro estar próxima deles com olhar carinhoso, buscando ser uma presença amorosa em suas vidas.

Vibro pela felicidade deles, pelo despertar que cada um, no tempo certo, será convidado a realizar.

Dedico-me a ajudar minha família da forma que consigo, principalmente sendo o exemplo de quem lida com os desafios de forma harmoniosa e confiante de que as soluções melhores para todos serão sempre encontradas. Essa paz que sinto hoje, sabendo que está tudo certo do jeito que está, me permite conviver de uma forma leve, plena e feliz com minha amada família.

PONTOS-CHAVE DO CAPÍTULO:

- Devemos ter compaixão por nós enquanto pais, lembrando que sempre fizemos o melhor que pudemos pelos nossos filhos.
- Como pais, temos a responsabilidade em ajudar nossos filhos a se sentirem seres valorosos.
- Lembre-se que o sofrimento de cada um é sua jornada de cura, portanto nada de superproteger nossos filhos, devemos "deixá-los cair" e deixá-los aprender a levantar, estando ao lado e dando nosso apoio nesse processo.
- É fundamental apoiarmos os sonhos e projetos de nossos filhos, deixando que vivam os próprios propósitos de vida.
- Conviver em família requer respeitar o direito do outro de ser quem ele é, mesmo que não gostemos, não cabe a nós mudá-lo.
- Devemos ser sempre uma presença amorosa no seio familiar, de forma a contribuir para que os conflitos em família sejam minimizados e haja mais harmonia no convívio entre todos.

PARA SEU PLANO DE AÇÃO:

- Numa escala de 0 a 10, o quanto você está satisfeito com seus relacionamentos familiares?
- Quais atitudes você tem que são contributivas para seu relacionamento com seus filhos e/ou com sua família de forma geral?
- Quais atitudes você tem que prejudicam a harmonia familiar?
- Como você pode se tornar um membro da família mais contributivo para a saúde dos relacionamentos?
- Por onde você vai começar a mudar?

9

LAZER E VIDA SOCIAL

"A felicidade só é real quando compartilhada."
Henry Thoreau

Eu me vejo como um "ser social". Acredito que quem me conhece bem vai concordar comigo... Afinal, amo organizar festas, sair para jantar, viajar... Brinco que se quiserem fazer uma festa surpresa para mim é só me chamar que eu ajudo a organizar!

Adoro dançar, estar com os meus amigos. Sou aquela que fica provocando os encontros, motivando as pessoas para se animarem a sair juntas, a viajar juntas.

Por muito tempo, eu me incomodava em ficar em casa nos finais de semana, somente eu e meu esposo, sem nenhuma atividade social, sem ver os amigos, sem sair para jantar ou ir ao cinema. Para mim, era um final de semana perdido, em resumo.

Escrevo agora dando risada de mim mesma, pois percebo o desequilíbrio que havia.

Nosso lazer e vida social é uma parte muito importante de nossas vidas. Mas, como tudo o mais, precisa estar em equilíbrio.

Nem tanto ao céu, nem tanto à terra...

Esse é o primeiro ponto que quero abordar.

A quantidade exagerada de tempo que dedicamos à vida social pode nos impedir de experimentar muitos outros momentos extremamente relevantes para nosso processo de desenvolvimento e crescimento.

Percebo que existia em mim um alto nível de ansiedade para viver tudo de uma só vez que me fazia não estar realmente presente naquele momento! Eu estava sempre pensando no próximo "evento", na próxima festa ou viagem. Estava viciada no ato de projetar a experiência futura, perdendo a oportunidade de experimentar o que estava acontecendo no maravilhoso momento presente. Ao me conectar com essa verdade eu pude, aos poucos, compreender o que estava acontecendo dentro de mim e buscar uma nova forma, saudável, de viver as experiências da vida, sempre almejando a paz e a leveza. Nessa busca, eu encontrei um caminho que hoje procuro cultivar, cuidar, para que se consolide mais e mais em minha vida.

São hábitos importantes que todos nós deveríamos experimentar, colocando-os em nossas agendas, programando efetivamente para que eles aconteçam.

Primeiro hábito: vivenciar momentos junto à natureza.

Estar próximo da natureza é essencial para nossa saúde e bem-estar, nos revigora, nos centra, porque a natureza tem o poder de nos lembrar do que verdadeiramente importa: o momento presente.

Quando estou olhando para o mar, com meus pés na areia, eu só consigo sentir a gratidão por estar ali.

Quando ouço o canto dos pássaros, quando vejo um lindo lago à minha frente, eu me sinto conectada com Deus.

Vários estudos já mostraram que estar em contato por trinta minutos, todos os dias, com a natureza, promove um reequilíbrio no corpo muito importante para a saúde. Pode ser apenas ficar com os pés na grama, ou dar um mergulho no mar. Pode ser regar as plantas, andar no jardim.

A natureza nos cura! Por isso é tão importante encontrarmos formas de nos conectarmos a ela, todos os dias e não somente aos finais de semana ou nas férias.

Nosso campo energético se reorganiza, criando um grande impacto em todas as nossas células! Por isso, as culturas orientais defendem tanto o tempo em contato com a natureza, como um dos caminhos para a cura do corpo físico. Antigamente, eu estava num lugar maravilhoso, de uma natureza exuberante, e, provavelmente, após cinco minutos de "êxtase", eu já estaria novamente fora dali, pensando em algo que iria acontecer num futuro previsível.

Hoje eu consigo me conectar com a natureza num nível muito profundo e real. Mesmo quando estou dentro de um carro, na estrada, eu me vejo olhando para o céu e reparando em sua linda cor, ou nas nuvens e pássaros que o compõem. Olho para flores, para árvores, e reparo em suas características únicas. Eu ouço o canto dos pássaros e paro por um segundo para prestar verdadeira atenção aos sons que emitem. Sinto a brisa em meu rosto, de olhos fechados com os pés descalços na areia macia do mar, e me conecto com sentimentos de alegria e gratidão pelas bênçãos que Deus criou para nós. Eu consigo hoje ser essa pessoa e, ao mesmo tempo, ser uma empresária bem-sucedida. Digo isso porque as pessoas têm uma percepção muito limitada sobre as possibilidades que a vida nos oferece! Acham que precisamos escolher entre um dos extremos: ou vivemos livres, leves, conectados com o momento presente, com a natureza, ou estamos focados no que precisamos fazer, como devemos agir para ter mais, conquistar mais, "sobreviver". Eu já estive no lugar de achar que "abraçar árvores" era coisa de gente "do mundo da lua". Hoje eu não só as abraço como converso com elas! E isso me dá um senso de conexão com tudo o que existe, me revigora de energia para que eu trabalhe com foco e inteligência para as melhores decisões.

Eu nunca poderia acreditar, até poucos anos, que a natureza pudesse ter o impacto que tem em mim hoje. Ela consegue me emocionar, me fazer chorar de alegria e gratidão. Já não temo mais o julgamento das pessoas por admitir que vivo a minha vida dessa forma... Eu compreendo, pois já estive exatamente no mesmo lugar que muitas pessoas estão agora: o do ceticismo, da racionalidade e da lógica em desequilíbrio. Nenhum julgamento externo me impede, hoje, de viver minha relação com a natureza da forma como vivo. Hoje eu sei que todos somos parte, que estamos ligados a tudo, que não há separação real, apenas ilusão de que somos separados, pelo que nossos olhos conseguem enxergar.

Faça uma experiência! Decida passar uns dias isolado no meio da natureza, sem celular, sem Internet. Sentindo ou contemplando, maravilhado com a beleza que é nosso planeta. Você saberá, por sua própria experiência, que não há outra forma de vivermos uma vida plena a não ser aquela em que estamos totalmente conectados com a natureza.

Segundo hábito: cultivar amizades.

Todos nós precisamos de amigos!

As amizades precisam ser cultivadas, com dedicação, com atenção, com presença real.

Com o avanço das tecnologias, as pessoas estão cada vez falando menos e teclando mais. Poucas realmente se esforçam para se encontrar com os/as amigos/as, naquele importante café da manhã, ou num *happy hour*, que são momentos de alimentar nossos vínculos com pessoas com as quais compartilhamos nossas vidas.

Nesse sentido, tenho um exemplo fabuloso em minha família: a minha sogra. Ela tem um grupo de amigos que, há mais de quarenta anos, se reúne todas as quartas-feiras para jantarem juntos, cada semana na casa de um deles. Eles moram no Porto, em Portugal, e agora que ela está viúva, com o falecimento de meu querido sogro, ela está lá com uma grande família, os amigos que ela cultivou por toda a vida. São pessoas presentes uns para os outros, que estão sempre dispostos a cuidarem uns dos outros.

Um lindo exemplo para usarmos como referência e criarmos nossa própria "família de amigos", pessoas com as quais queremos conviver por toda a nossa vida.

Amizades precisam ser cultivadas, como qualquer relacionamento. Dedicar um tempo para os amigos é essencial para que o relacionamento se consolide, para que sintamos que realmente convivemos proximamente. A maioria das pessoas tem "conhecidos" e não "amigos". Amizade é algo único, que requer intimidade, requer tempo dedicado. Quando temos amigos reais, queremos compartilhar com eles momentos únicos, queremos que eles estejam presentes ali conosco.

Lembro-me como se fosse hoje do dia em que terminei a quimioterapia, em 2018, e fui ao salão de beleza para cortar meus cabelos bem curtinhos, já que estavam muito ralos e irregulares. Durante a quimioterapia, usei a touca que congela os fios de cabelo de forma a reduzir a queda. Então, nunca fiquei completamente careca, apenas com grandes falhas no topo da cabeça. Fui cortar meus cabelos porque já não queria mais usar lenços para disfarçar aquelas "falhas": já estava na hora de assumi-las. Lembro que chamei minhas grandes amigas, Isabel e Paola, para irem comigo ao salão. Quando o corte terminou, eu estava emocionada.

Eu sentia a alegria do término de uma difícil etapa do tratamento. E elas me abraçaram, choramos juntas, brindamos juntas. São momentos assim que ficam marcados em nossa vida, que nos fazem sentir o quanto somos realmente amados.

Com o tempo, a gente aprende a fazer boas escolhas de amizades, da companhia que queremos e que nos traz real senso de pertencimento. Antigamente, eu não era muito seletiva com as amizades. Como queria sempre estar em todos os eventos, simplesmente aceitava todos os convites e ia a todos os lugares possíveis.

Porém, com meu processo íntimo de despertar, comecei a me interessar por temas que não combinavam mais com os interesses da maior parte das pessoas com quem eu socialmente convivia. Comecei e me sentir uma estranha no ninho, com vontade de encontrar uma "nova tribo", pessoas com quem eu poderia falar abertamente sobre todas as minhas descobertas porque elas também teriam interesse em aprender muito sobre esse processo de transformação pessoal. Pessoas que não me julgariam como "radical" porque decidi não comer mais carne vermelha ou porque medito por longos períodos.

Acredito ser fundamental estarmos com pessoas que vibram energias similares às nossas, energia de realização, de paz, de humildade, de amor.

Não tenho mais nenhuma motivação para estar com pessoas que só veem o "copo meio vazio", que estão sempre pensando que o pior vai acontecer, que encontram "um problema para cada solução".

Eu desejo o melhor para todos os seres humanos e respeito o momento de vida em que cada um se encontra.

Parar de julgar e simplesmente compreender que estamos em estágios diferentes foi um dos maiores amadurecimentos que eu tive. Mas, também, escolher com quem quero estar me ajudou demais a me manter no melhor nível energético que eu mereço.

Isso não é arrogância. É autoamor, é autocuidado.

Já vi pessoas alegres, bem-dispostas, otimistas, irem murchando, se entristecendo, desanimando, por causa da influência de amizades com esse padrão vibracional. Inclusive já li que há os chamados "vampiros energéticos", pessoas que, sem saber, sugam a nossa energia. Para saber se temos pessoas assim à nossa volta, é só avaliar como você fica após conviver com elas: mais ou menos energizado?

Fique atento! Olhe à sua volta e perceba como você está selecionando suas amizades.

Lembremos que verdadeiros amigos "contamos com os dedos das mãos". No mais, os colegas que a vida nos apresenta vêm e vão, conforme as diversas fases da vida, mas se não vibrarem uma energia elevada, se não trouxerem mais amor e paz para nossas vidas, não deveriam ter prioridade em nosso tempo, pois isso significará abrir mão de outros convívios muito mais relevantes e engrandecedores para nós.

Terceiro hábito: viajar.

Há muitas opções de lazer que irão nos ajudar a sentir bem-estar, alegria e disposição. Para mim, uma das principais é viajar.

Todos que me conhecem sabem o grande valor que dou a viajar. Desde sempre, me dedico de forma intensa a aproveitar todas as oportunidades para estar em outros lugares, sejam lugares em que já estive e de que gostei muito, sejam novos lugares.

Por um tempo, cheguei a me questionar o porquê de tanta inquietude por viajar.

Será que eu estaria sempre insatisfeita em estar onde eu estava?

Mas então eu compreendi que meu espírito é assim, inquieto mesmo. Esta sou eu e eu me amo desse jeito.

Eu amo novas experiências, conhecer novas culturas.

Também amo estar em lugares em que me sinto criança, em que me divirto, como nos parques da Universal Studios. Todos deveriam ter direito a experimentar aquele brinquedo do filme *Avatar*, no parque em Orlando, que promove uma experiência surreal de estarmos voando naquele planeta mágico do filme.

Sei que muito poucas pessoas têm acesso a esse tipo de viagem, mas não importa de que tipo seja, qualquer viagem vale a pena.

Gosto muito da frase: "O mundo é um livro e aquele que não viaja lê apenas uma página". Há tanto para conhecer, para aprender sobre o mundo.

As memórias que guardamos das viagens que fizemos valem muito, mas muito mais que as fotos que tiramos ou postamos nas mídias sociais.

A viagem que eu fiz para ver a aurora boreal foi tão espetacular que só de lembrar das imagens eu me emociono novamente.

Isso é vida! É se emocionar, é ter memórias deliciosas, é provar novas comidas, conhecer a história da humanidade, é conhecer novas praias, novos povos.

Viajar amplia nossa consciência de sermos cidadãos de um mundo tão diverso. Para mim, viajar é muito, mas muito mais importante do que adquirir bens. Respeito quem precisa da segurança da casa própria, do dinheiro no banco, do carro sempre novo. É direito de cada um desejar o que deseja, mas quem vê a morte de perto nunca mais se esquece do que verdadeiramente importa. Mesmo durante meu tratamento, com todas as restrições que ele trouxe e ainda traz, eu nunca parei de viajar. Durante a quimioterapia, eu aproveitava os intervalos de descanso do corpo para mais uma viagem, mesmo que curta. Lembro do dia em que meu oncologista, ao ver os resultados excelentes do meu PET scan, me liberou da quimioterapia e me disse: "Agora já pode marcar as viagens para os próximos três meses". E eu, rindo, respondi: "Você quer dizer que eu não precisarei remarcar nem cancelar nenhuma delas, certo?".

Eu sempre acreditei em meu futuro, em minha cura, em minha vida e no valor dela para mim. Por isso nunca deixei de fazer meus planos de viagem, pois me recusei a ser uma "paciente oncológica", como gosto de reforçar. O que fica desta vida são as experiências que vivemos, as pessoas com quem convivemos e os conhecimentos que adquirimos. O resto não vai com a gente. Fica por aqui mesmo.

Quarto hábito: viver momentos de pura descontração.

Não importa o que você prefira, desde que coloque em sua vida momentos de lazer revigorantes.

Já está provado o poder do riso em nosso sistema imunológico. Por isso eu cortei de minha vida notícias ruins, filmes tensos e tristes sobre tragédias e guerras, músicas deprimentes, em resumo: tudo que dá vontade de chorar de tristeza em vez de rir de alegria.

Pense no que você gosta de fazer, que atividades lhe trazem alegria, planeje realizá-las mais!

Eu me realizo, em sinto extremamente viva e feliz quando canto, quando danço, quando vou ao cinema ou quando fico assistindo minhas filhas tocarem e cantarem (meu programa favorito na vida). Nunca deveríamos tirar de nossas vidas o tempo para a descontração, para relaxar e curtir nossos *hobbies*! Nem por motivos de trabalho, nem por causa de tratamentos de saúde. A prioridade da vida está em vivenciarmos momentos inesquecíveis, de experiência máxima! Isso é uma vida feliz... Uma vida em que colecionamos lembranças que nos enchem o coração de gratidão.

Muitas pessoas colocam a responsabilidade nos filhos pequenos por não terem mais momentos de relaxamento e descontração. Mas eu percebo o quanto as mulheres, principalmente, se colocam numa armadilha ao "tomarem para si" praticamente toda a responsabilidade de cuidar dos filhos.

Quando estou diante de pais que se sentam para brincar com as crianças, estando realmente presentes para os seus filhos, percebo que eles estão felizes ali, estão se divertindo também! Cada fase da vida é um convite para um estilo de vida e devemos sentir a energia daquela fase, apreciá-la ao máximo pois ela é temporária, como tudo na vida é.

Conheço muitos casais que querem muito ter filhos e, depois de tê-los, reclamam do estilo de vida que estão vivendo... Não conseguem estar presentes em suas vidas atuais, estão, na verdade, sempre querendo algo diferente do que já possuem, num ciclo eterno de insatisfação. Vejo quanto tempo as pessoas passam em frente à televisão assistindo a programas, novelas, filmes etc. Muitas vezes escolhendo filmes cujo conteúdo somente prejudica seu humor e bem-estar, impactando negativamente seu nível energético. Filmes de guerra, de tortura, de terror, de massacres, de tragédias de forma geral são altamente impactantes em todo o nosso organismo porque nosso cérebro não sabe distinguir entre uma emoção fruto de uma situação real que estamos vivendo e uma emoção fruto de uma experiência virtual. Diante de filmes assim, nosso corpo é encharcado de substâncias químicas como cortisol e adrenalina, prejudicando sobremaneira nossa saúde física e mental.

Pode ser que você curta esportes ou música, sozinho ou acompanhado. Quanto disso está colocando em sua vida, em sua rotina? Ou já se entregou à preguiça e literalmente "gasta" seus momentos de folga do trabalho em frente à televisão ou com o celular nas mãos, navegando em mídias sociais? Todos nós precisamos prestar atenção na forma como vivemos cada minuto de vida, porque nunca sabemos quanto tempo teremos.

Portanto encha sua vida de momentos de relaxamento, diversão e alegria! As emoções relacionadas com eventos assim são extremamente positivas, liberando substâncias no corpo como endorfina e serotonina, que contribuem para uma saúde mais elevada.

Precisamos aprender a nos permitir ser crianças de novo, brincar, de forma solta e leve. Quando eu deixei o medo do julgamento para trás, me permiti brincar muito mais. Dar verdadeiras gargalhadas no cinema ao assistir com as minhas filhas a filmes e desenhos engraçadíssimos. E isso trouxe um impacto enorme para minha saúde e para meu bem-estar. Cante, dance, conte piada, ria deliciosamente.

Largue as tensões de lado! Conheço muitas pessoas que, mesmo nos momentos de lazer, estão tensas, preocupadas se tudo está correndo bem, se o almoço dará para todos, se todos estão bem acomodados, se não vai faltar lugar na mesa para um ou outro... Estão sempre tensas, pensando no que pode dar errado! Eu mesma já fui assim. Hoje, quando me percebo entrando nesse padrão, digo a mim mesma: "Em minha mente não há mais espaço para esse tipo de pensamento". E volto à leveza, deixando as coisas fluírem. A vida já traz em si desafios grandes demais! Precisamos aprender a relaxar e confiar, aproveitando cada instante com intensidade e presença real.

PONTOS-CHAVE DO CAPÍTULO:

- Procure passar o máximo de tempo possível junto à natureza, prestando atenção a suas belezas, sentindo as plantas, os pássaros, a terra.
- Cultive amizades que lhe façam bem, estando com pessoas que elevam sua energia, que compartilhem dos mesmos valores.
- Coloque mais viagens em sua vida, conheça novas culturas e novos lugares, conecte-se com a energia do local em que você estiver.
- Garanta que haja muitos momentos de descontração e alegria em sua rotina, com atividades relaxantes e prazerosas para você.

PARA SEU PLANO DE AÇÃO:

- Numa escala de 0 a 10, o quanto você está satisfeito com a quantidade e qualidade do lazer e vida social em sua vida?
- Quais são as oportunidades que você vê para estar mais próximo à natureza?
- Como você poderia cultivar mais suas amizades? Quais são os amigos com quem você deseja passar mais tempo?
- Que viagens você gostaria de fazer? Por qual vai começar?
- Quanto tempo você tem investido em atividades que realmente lhe trazem descontração, relaxamento e alegria?
- Quanto tempo você deveria reduzir do total que hoje dedica a assistir à TV e/ou a navegar no computador ou no celular?

10

AUTODESENVOLVIMENTO

"A vida é como um grande rio: sempre correndo para a frente, sempre nos apresentando novas oportunidades para amar, fazer conexões, se expandir. Porém, se quisermos seguir em frente junto com ela, precisamos nos libertar do passado que nos prende às margens lamacentas e estagnadas, onde é impossível seguir adiante."

Krishnaji

Eu acredito que vivemos para evoluir em três dimensões: emocional, intelectual e espiritual.

As experiências de dor com as quais, infelizmente, precisamos lidar, são grandes convites à evolução nas três esferas citadas.

Intelectualmente, aprendi muito sobre alimentação e saúde de forma geral nos últimos anos. Li diversos livros sobre o assunto, fiz cursos *on-line* e presenciais, ampliei em muito a compreensão que eu tinha sobre culinária, nutrição e fisiologia.

Percebo o quanto as pessoas encontram desculpas para não estudar, para não ler. Culpam a "falta de tempo" e o "excesso de compromissos com a família ou trabalho" como causas de não conseguirem aprender nada novo.

Mas essas mesmas pessoas passam horas por dia nas mídias sociais ou na frente da televisão. Total incoerência, certo?

Quanto tempo as pessoas dedicam às mídias sociais, navegando na Internet, conversando "fiado" em grupos de mensagens, vendo vídeos engraçados, jogando *videogame* no celular ou no computador, vendo propagandas de lojas *on-line*, por exemplo?

Eu não tenho a menor dúvida de que a gente desperdiça nosso valioso tempo com atividades sem nenhuma relevância para nossos maiores objetivos de vida. Assim, sobra mesmo pouco tempo para o que importa.

E o tempo é o recurso mais democrático que existe, pois todos nós temos as mesmas vinte e quatro horas no dia. Precisamos escolher sabiamente como vivê-las, lembrando desses três pilares evolutivos.

Para evoluirmos emocionalmente, precisamos compreender nossas emoções, dedicando tempo para nos autoanalisarmos. Tempo de reflexão que requer uma certa solidão ou, no máximo, alguém com quem conversar, um amigo ou terapeuta, por exemplo. Além da terapia, eu escolhi evoluir emocionalmente por meio da meditação, que me coloca muito atenta a todas as emoções que sinto e aos pensamentos que acesso. Sem esse precioso tempo de análise e reflexão, eu nunca teria sido capaz de fazer essa transformação de vida! Sim, eu precisei de muitas e muitas horas estudando epigenética, neurociência, quântica, por exemplo, para compreender como nossos pensamentos e emoções impactam cada célula do nosso corpo. Nós precisamos buscar o conhecimento! Somente a partir dele podemos começar a agir de forma congruente e alinhada com um novo propósito de vida. Para evoluirmos intelectualmente precisamos estudar, lendo ou fazendo cursos. E o céu é o limite para nosso aprendizado! Por que limitarmos nossas possibilidades quando elas são infinitas? Por que acreditar no ditado "cachorro velho não aprende truque novo"? Eu já vi pessoas de setenta anos se formando em medicina. Quem disse que há uma idade específica para aprender, e para recomeçar? Quanto mais aprendemos conhecimentos úteis, mais nos tornamos capazes de compreender o mundo de forma ampla, em suas diversas facetas.

Podemos entender de economia, de política, de negócios, de saúde, de cultura, de espiritualidade, de qualquer tema que desejarmos. O conhecimento está à disposição de todos nós, de forma gratuita ou paga, há inúmeras possibilidades. Evoluir intelectualmente é fundamental para o "conjunto da obra", pois nos permite sermos mais úteis ao mundo! E todos nós estamos aqui na Terra para sermos úteis de alguma forma. Cada um, sem exceção, tem um papel importante, por mais simples ou mais complexo que pareça, o mundo só evoluiu e continua evoluindo porque há pessoas trabalhando com seus talentos para agregar mais qualidade de vida a todos.

Por fim, precisamos nos dedicar à evolução espiritual, que considero a base para a verdadeira felicidade. Sem trabalharmos em nós mesmos para nos tornarmos pessoas mais generosas, íntegras, autênticas, amorosas, justas, bondosas, abundantes e conectadas com uma inteligência superior, somente teremos percorrido uma pequena parte da jornada terrena...

Mesmo para a evolução espiritual, precisamos estudar! Ler livros, assistir a filmes e vídeos que nos mostrem caminhos para essa descoberta. Eu percebi que, até o diagnóstico do câncer, meu foco sempre havia sido estudar liderança, *coaching*, gestão e negócios. Claro, eu me desenvolvi muito, técnica e intelectualmente, porém em um conhecimento restrito à minha área profissional. Limitei meus recursos, me especializando sobremaneira naqueles temas, dedicando 100% do meu tempo a apenas aprofundar o que eu já tinha conhecimento prévio.

Hoje me percebo muito aberta, curiosa e sedenta por conhecer mais, para expandir minha visão sobre o mundo.

Ampliar meu repertório me tornou uma pessoa mais conectada a todos à minha volta, porque eu me interesso de verdade por muito mais coisas do que me interessava antes. Eu comecei a vivenciar esse processo, e percebo que há ainda muito a ser aprendido. O importante é estar na jornada, é priorizar o autodesenvolvimento como a razão de eu estar viva.

Acreditar nisso é o que me motiva a priorizar meu tempo para aprender, dizendo "não" às distrações que insistem em surgir para nos testar, para checar se realmente estamos comprometidos com nossos objetivos mais relevantes.

PONTOS-CHAVE DO CAPÍTULO:

- Evolua emocionalmente, compreendendo suas emoções e acessando aquelas mais conectadas com as experiências novas que deseja ter.
- Evolua intelectualmente, estude novos temas, amplie seu repertório, seja curioso.
- Evolua espiritualmente, estudando, compreendendo e praticando os valores universais da espiritualidade.

PARA SEU PLANO DE AÇÃO:

- Numa escala de 0 a 10, o quanto você se dedicou ao autodesenvolvimento até hoje?
- O que você poderia fazer para evoluir emocionalmente?
- Que outros conhecimentos, além dos da sua área de atuação, você poderia estudar para aumentar seu repertório pessoal?
- De que forma você poderia estudar mais sobre espiritualidade e desenvolver em si mesmo valores mais elevados?

PARTE 3
ESPÍRITO

… 11 …

CONTRIBUIÇÃO PARA O MUNDO

"Pois é dando que se recebe."
Jesus Cristo

Quando eu entendi que o AMOR era o único caminho para uma vida plena e feliz, eu percebi que posso e devo vivenciá-lo de inúmeras formas.

E uma delas é o amor ao próximo, contribuindo para que mais e mais pessoas possam viver uma vida plena, possam encontrar (ou reencontrar) a alegria de viver. Afinal, todos nós sabemos quanto sofrimento há no mundo, como ficar indiferente a isso? Como dormir com a consciência tranquila, no conforto de nossas casas, sabendo que nada estamos fazendo por aqueles que não têm onde dormir e o que comer? Para mim, isso seria impossível.

Eu aprendi cedo a importância da caridade: meus pais são meus maiores exemplos, desde sempre muito envolvidos com o serviço voluntário. Meu pai dedicou praticamente os últimos trinta anos a criar e viabilizar o Instituto Lions da Visão, o maior hospital filantrópico de olhos da

América Latina. Minha mãe, também há cerca de trinta anos coordena o programa "Mãos solidárias", que apoia gestantes em situação de pobreza, fornecendo recursos para a gestação, parto e pós-parto, como enxoval para o bebê, cestas básicas e orientações com pediatras, por exemplo.

Eu sempre me considerei uma pessoa generosa, que ajudava, geralmente com recursos financeiros, aqueles com necessidades básicas de sobrevivência. Porém percebi que não me dediquei a fazer tudo aquilo que posso fazer pelo mundo, apesar de sempre me envolver com alguma atividade de voluntariado.

A desculpa que eu arrumei sempre foi a mesma: falta de tempo.

Mas todos nós, todos, sem exceção, temos as mesmas vinte e quatro horas todos os dias... Portanto, a questão é o que faremos com essas horas, certo? Muitas pessoas dizem "não ter tempo" para atividades de voluntariado, porém passam o dia todo no sofá, assistindo a programas na TV ou navegando nas mídias sociais, principalmente nos finais de semana. Então, tempo todos temos... Somente precisamos direcionar a atenção e perceber como estamos vivendo nosso tempo e escolher melhor.

Eu eliminei o tempo na frente da TV há mais de vinte anos, quando percebi que uma quantidade importante de vida seria desperdiçada se eu não fizesse isso. Quando compreendi que meu propósito de alma é o de impactar para que o maior número possível de pessoas saia da ilusão e possa viver uma vida plena, despertando, eu entendi que tinha muito trabalho a fazer. Então eu o priorizei.

Entendi que a maior e mais concreta contribuição que eu poderia fazer não estava ligada à quantidade de dinheiro que eu poderia doar para organizações ou pessoas necessitadas, mas, sim, à dedicação de meu tempo e de meus talentos (todos temos!) para compartilhar uma nova visão sobre a vida, dentro e fora das empresas.

Eu compreendi, também, que tenho uma missão muito forte relacionada ao câncer, de forma a apoiar pessoas passando por essa doença, em seu processo de cura, para compreenderem que a verdadeira cura é interior. Há diversas formas de contribuir para o mundo e tirarmos o foco apenas de nossas próprias necessidades.

Quando comecei a estudar e aprender sobre os diversos aspectos que impactam a saúde integral (corpo, mente e espírito), decidi que iria compartilhar meus aprendizados com todos que assim o desejassem. Dessa forma, desde janeiro de 2020 eu coordeno um grupo de WhatsApp chamado "Saúde integral", que tem por objetivo apoiar os membros na implementação de hábitos de saúde, com dicas diárias de alimentação, atividade física, meditação, entre outras. Ali no grupo temos um espaço para compartilhar boas práticas e tirar dúvidas entre nós, num ambiente seguro, sem julgamentos e nem cobranças, apenas estímulo mútuo para que vivamos uma vida de mais saúde, de mais felicidade. Aproveito sempre para compartilhar tudo isso também em meus canais em mídias sociais, pois entendo que quanto mais pessoas puderem ter acesso a esse conhecimento, melhor.

Pesquisas provaram que quando ajudamos alguém, de forma desinteressada, geramos uma energia espetacular em nosso corpo, produzindo altas doses do hormônio ocitocina, o hormônio do amor e do bem-estar! Por isso eu amo tanto pensar, sentir e dizer: "É dando (se doando) que se recebe". Porque é exatamente isso! Quanto mais nos doamos para o bem, mais o bem volta para nós.

E podemos ir além: quando envolvemos nossos filhos em trabalhos voluntários, eles passam a compreender melhor o valor das coisas, passam a ser mais generosos e mais gratos por tudo que possuem na vida.

Todos nós devemos encontrar um caminho para ajudar ao próximo, para contribuir por um mundo melhor.

Há inúmeros grupos que produzem e distribuem alimentos para famílias carentes, que estão sempre precisando de mais voluntários e de mais recursos financeiros para manterem sua atuação regular.

Também é possível, por exemplo, doar seu tempo para fazer companhia aos idosos e crianças que vivem em orfanatos e asilos.

Podemos, enfim, formar ou participar de organizações que cuidem de temas de interesse público, como o combate à violência contra a mulher, contra o racismo, o combate ao desmatamento, a poluição dos rios, a exploração sexual de jovens, entre outros, tão relevantes quanto os citados, para um mundo mais justo, mais humano para todos.

Eu decidi que iria ajudar mulheres que estivessem passando pelo câncer de mama a estarem em equilíbrio e compreenderem o que esse doloroso processo está lhes convidando a transformar.

Tenho feito isso desde o diagnóstico em 2018 e pretendo intensificar cada vez mais as ações e os resultados desse trabalho.

Passar pelo câncer é uma experiência muito dolorosa e sei que muitos passam por ela sozinhos, sem recursos financeiros, sem informação, no desespero.

Passei de maneira muito diferente, com recursos, com minha família ao meu lado, com acesso aos melhores tratamentos e em condições de entender as possibilidades por saber onde encontrar informações confiáveis.

Quando penso nisso, sinto um aperto em meu coração, um desejo genuíno de cuidar de cada uma das mulheres que me procura, acalmar seus corações, estar ao lado delas para que elas saibam que existe luz no fim do túnel. Todos nós temos muito a fazer uns pelos outros e é nossa responsabilidade encontrar formas para isso, dedicando tempo e parte de nossos recursos financeiros, cada um dentro de suas possibilidades.

Eu dedico parte do lucro de minha empresa para contribuir com o mundo.

E percebo que, quanto mais eu faço isso, mais prosperidade eu vivencio. A energia que emanamos ao cuidar de outras pessoas com amor é a energia da abundância, da prosperidade.

Sempre acreditei que "fora da caridade não há salvação" (Cap. XV, *O Evangelho segundo o Espiritismo*, de Allan Kardec).

Não podemos ser indiferentes às pessoas, ao que elas vivem.

Afinal, somos tomos UM nessa jornada terrena de aprender a amar, amar e amar.

PONTOS-CHAVE DO CAPÍTULO:

- Amar ao próximo é uma das mais importantes formas de amor.
- Encontre formas de praticar a caridade, destinando recursos e/ou seu tempo para fazer o bem a quem tanto precisa.

PARA SEU PLANO DE AÇÃO:

- Numa escala de 0 a 10, quanto você tem praticado a caridade?
- Quais possibilidades você tem de ajudar a quem tanto precisa?
- O que escolhe priorizar como forma de exercer o serviço voluntário?

ESPIRITUALIDADE

> "A fé é um salto no escuro pros braços de Deus.
> Quem não tem fé não salta,
> nem abraça. Fica no escuro."
> Khalil Gibran

Falar deste tema, para mim, teria sido muito, mas muito difícil até alguns anos. Muito provavelmente eu não conseguiria concluir nada sobre isso. Porque confesso que meu excessivo foco no racional e lógico da vida (as questões materiais que todos vivenciamos) de uma forma sutil acabou me afastando da conexão com tudo aquilo que não faz parte do mundo material. Como uma executiva envolvida demais no mundo dos negócios, eu julgava as pessoas que se dedicavam de forma intensa às práticas espirituais, fossem religiosas ou místicas, como um pouco "alienadas".

Aquela estória de "abraçar árvores", rezar o terço por horas intermináveis, passar dias em retiros meditando em silêncio, passar os domingos na igreja, enfim, as práticas religiosas ou espirituais de forma geral simplesmente não me atraíam.

O mundo da matéria, dos compromissos com o trabalho, com a criação dos filhos para que eles pudessem ter sucesso em suas vidas, a dedicação aos estudos, a realização de projetos de vida, como construir minha casa, viajar para lugares lindos, ocupava todo o meu tempo e a minha mente. Eu dedicava muito pouco espaço para me conectar com meu coração e com minhas emoções, e menos ainda para me conectar com alguma inteligência divina, em alguma prática religiosa ou espiritual. Simplesmente julgava que tudo aquilo era irrelevante, não combinava com meu mundo e desde que eu fosse uma pessoa íntegra, bondosa, responsável, já estava bom demais. Estudei em colégio de freiras desde a infância até o ensino médio. Fui batizada, fiz primeira comunhão, segui alguns rituais católicos, mas nunca fomos daquelas famílias que estão nas missas aos domingos.

Na verdade, eu me sentia desconectada das práticas católicas, porque elas não me explicavam as enormes diferenças e desigualdades entre as pessoas. Eu sempre fui uma pessoa sensível às necessidades dos outros, buscando defender os direitos de todos a terem uma vida digna e próspera.

Ainda durante a adolescência, decidi pesquisar um pouco sobre as religiões e, por intermédio de minha Tia Lana, a quem eu amo e admiro infinitamente, acabei conhecendo a filosofia espírita de Allan Kardec, com a qual me identifiquei de pronto, porque consegui compreender, de forma racional, as razões para tanta desigualdade no mundo.

Porém, mesmo me interessando, eu nunca fui realmente praticante do espiritismo, seja em termos de frequentar centro espírita, estudar a doutrina ou fazer o Evangelho no Lar, práticas regulares daqueles que o seguem. Em alguns momentos pontuais da minha vida, eu fui a centros espíritas para receber passes e assistir às palestras, mas também sentia que faltava algo, não me sentia pertencente àquele lugar, acabava julgando algumas premissas da doutrina e, com o tempo, acabei por me afastar do espiritismo, me dedicando praticamente ao trabalho e ao convívio familiar, com a mínima atenção para a área espiritual, numa conexão muito superficial com Deus. Eu não orava de forma regular e somente pensava em Deus naqueles momentos desafiadores, pedindo ajuda ou agradecendo pelos "livramentos", como a maioria dos que cresceram nas bases de alguma religião, mas não a praticam fielmente, acaba fazendo.

Para falar a completa verdade, sem nenhum medo de julgamento: eu não pensava muito em Deus.

Não foi fácil reconhecer isso, mas era nesse lugar que eu estava. Confesso que em alguns momentos de minha vida cheguei até a duvidar da existência de Deus e de que haveria vida após a morte.

Nunca tive, em meu núcleo familiar mais próximo, grande incentivo para a vivência da espiritualidade.

Meus pais nunca foram, até uns poucos anos atrás, realmente dedicados a uma prática espiritual formal. O mesmo para meus irmãos e irmãs, com exceção de minha irmã Ana Beatriz, que sempre se dedicou ao estudo e prática da doutrina espírita, com grande envolvimento centros espíritas, em atividades comunitárias, estudos e práticas. Mas ela morou por vinte anos em São Paulo, o que tornava nosso convívio muito eventual.

Como eu sempre levei uma vida de uma pessoa "do bem", achava que isso bastava. Mas meu momento chegou.

E foi somente diante do câncer que eu realmente, profundamente, busquei a Deus.

Já senti muito arrependimento por isso, me culpei e pedi perdão a Deus. Mas eu sei que Ele não me perdoou... Porque isso nunca foi necessário! Ele compreendeu cada momento de minha vida, cada atitude, cada pensamento, porque Ele sempre esteve em mim!

Hoje eu compreendo que cada pessoa tem o seu tempo de despertar. Com o diagnóstico e início do tratamento, passei a orar diariamente, várias vezes ao dia, num primeiro momento pedindo a Deus que me permitisse a cura, que me mostrasse o que eu precisava fazer para me curar, clamando por sua misericórdia.

Segundo o espiritismo, acredita-se que o câncer, assim como outras doenças graves, são processos depurativos do espírito e são importantes não somente para quem o manifesta, mas para todos que estão próximos e sofrem com a doença. Então eu me via pensando se iria conseguir superar o câncer porque talvez meu destino seria morrer dele, porque talvez meu tempo na Terra já tivesse se esgotado e fosse exatamente essa a minha missão: uma curta passagem por aqui.

Com o final do tratamento inicial, durante o período em que fiquei sem sinais do câncer e até ele reaparecer, minha conexão com Deus foi se diminuindo em termos de tempo dedicado à oração e de sentir sua presença em minha vida.

Até que a tão temida notícia da metástase chegou.

O que as pacientes de câncer de mama mais temem são as metástases porque acreditam que, com elas, a morte é certa.

As estatísticas conseguem reforçar essa visão e pensamento, trazendo ainda mais ansiedade e desespero, para quem precisa estar em paz, como princípio. Diante da "morte iminente", eu me voltei para Deus e lhe disse, ajoelhada e envolta em lágrimas:

"Senhor, eu me rendo! Por favor me mostre o que preciso transformar em mim. Eu quero e eu irei seguir o caminho que o Senhor me mostrar. Por favor, me mostre! Eu estou aqui agora, de coração e mente abertos para ouvir".

E orei fervorosamente, por muitos e muitos dias.

Até que um dia, na meditação, consegui sentir a resposta.

Eu consegui entender que Deus não estava fora de mim.

Entendi que ele vive dentro de nós e por isso somos feitos à Sua imagem e semelhança... Com uma emoção indescritível em meu coração, eu recebi aquela revelação. Era como se Deus estivesse falando comigo, mentalmente. Foi muito emocionante, chorei por muitos minutos até soluçar. Naquele momento, eu consegui entender que sempre que "pedia" algo a Deus eu estava dizendo que "eu não tinha aquilo, que aquilo faltava em minha vida". Então, compreendi que deveria simplesmente agradecer porque temos tudo, tudo que precisamos e desejamos, mesmo que ainda não se tenha manifestado em nosso campo físico desta realidade tridimensional. Consegui entender que Deus é amor puro e nunca desejaria o sofrimento de nenhum de seus filhos. Não foi Deus que me fez ou que "me permitiu" ter câncer. Eu fui a única responsável por manifestar a doença em meu corpo. E não precisava me culpar nem me sentir impotente diante daquele fato.

Porque Deus nos criou com todos os recursos que precisamos para nos curar.

Só precisamos compreender o processo e mergulhar profundamente nele. E o começo de tudo foi entender que nada é bom ou ruim. Quantas experiências que rotulamos de "ruins" se mostraram boas porque nos levaram a uma situação melhor? A verdade é que o que pensamos sobre a situação é que a torna boa ou ruim. Veja meu caso: saber que eu estava com câncer era uma notícia ruim, muito ruim, certo? Mas olhando agora, com tudo que aprendi, com a alegria que vivo hoje, a paz, o amor profundo que sinto, eu vejo que foi uma coisa boa! Quantas vezes algo que julgamos "ruim" acontece em nossas vidas e, mais na frente, percebemos que foi apenas um livramento? Uma pessoa pode ter sido demitida, julgar isso ruim, e logo encontrar o emprego dos sonhos e pensar que ser demitida foi o melhor que poderia ter acontecido a ela. Portanto, não há algo bom ou ruim, pelo fato de não termos a visão de longo prazo, do que vem pela frente, do que precisamos para crescer, evoluir. Quando estamos em situações que julgamos "muito ruins", fica claro o nível de confiança que temos em Deus...

Gosto muito de uma definição que li no livro *Os quatro segredos sagrados* (Preethaji e Krishnaji): "Cada um de nós é muito mais do que nossas mentes limitadas. Somos muito mais do que nossos corpos. Somos seres transcendentais".

Tudo o que está escrito neste meu livro, as práticas que adquiri e fui aperfeiçoando ao longo dos últimos anos, é fundamental para a cura do corpo físico. *Mas o que realmente cura, de forma profunda e permanente, é o sentimento de amor verdadeiro e arrebatador por si mesmo, porque é neste sentimento que vibramos a energia da cura, porque sentimos confiança, paz e alegria. E é exatamente isso que Deus quer para nós!*

Deus nos quer amando muito, o tempo todo, de forma incondicional. Hoje eu amanheço me conectando com Deus, ao agradecer por mais um dia de vida e já me sentir grata pelo que virá ao longo das horas, como oportunidade para aprender, para amar, para ser útil à evolução do mundo.

Agradeço a Deus por toda e qualquer pessoa que cruza meu caminho, pelo alimento, pelas experiências ao longo do dia, pelo aprendizado, pelo lindo cenário, pelos gestos de amor que recebo, pelas boas notícias, por tudo que acontece! Eu sinto Deus comigo, o tempo todo, rindo comigo das coisas engraçadas que acontecem, se emocionando comigo diante dos momentos de encantamento, se orgulhando de mim quando consigo superar o medo e a preocupação dos pensamentos que teimam em reaparecer hora ou outra.

Deus está comigo e sempre esteve, mas só agora eu realmente O sinto.

Eu não pratico nenhuma religião em especial e respeito incondicionalmente todas elas!

Sei que Deus é um só, e Ele nos ama independentemente de nossas crenças, de nossas práticas religiosas e espirituais.

Ele somente deseja que sejamos o exemplo do amor incondicional que Ele é. E hoje eu tenho uma certeza: sem o contato com o espiritual em minha vida, eu nunca me teria curado.

Porque era exatamente para encontrar a Deus, nesta linda forma de viver, com amor e paz, que eu precisei da doença.

Vejo pessoas praticando uma religião, mas não a espiritualidade. De nada adianta ir à igreja, ao templo, ao centro espírita, a uma mesquita, aonde quer que se pratique determinada religião, sem se conectar com Deus ao longo do dia, se continuar maltratando pessoas e animais, desrespeitando as leis e agindo de forma não ética, degradando o meio ambiente, dedicando o tempo somente aos prazeres da carne, do ego, da ganância, do apego ao que ficará por aqui quando esse corpo físico morrer.

Quando as pessoas descobrem que você está com câncer, elas realmente querem o ajudar a se curar e buscam fazer o que acreditam ser relevante nesse sentido, com interesse genuíno de o verem saudável novamente. Porém nem todos sabem fazer isso de forma realmente amorosa, alguns querem impor suas crenças, acreditando que suas verdades são únicas e todos aqueles que não as praticam estão equivocados, ou são ignorantes. A forma como eu encontrei de lidar com esse tipo de pensamento foi simplesmente agradecendo à pessoa pelo seu desejo genuíno de me ver curada.

Com toda essa jornada, eu aprendi, finalmente, que a espiritualidade precisa ser nossa prioridade. Tudo precisa vir depois dessa consciência! Porque tudo que nos permite viver em felicidade plena se desdobra dela. É por meio da espiritualidade que nos tornamos pessoas melhores, que praticamos o bem genuíno, que amamos a nós mesmos sem egocentrismo, que amamos ao próximo e podemos, assim, contribuir para um mundo melhor. Não há como nos sentirmos profundamente felizes, independentemente do que está acontecendo em nossas vidas, se não estivermos fortemente conectados com Deus (talvez você prefira se referir à inteligência divina ou de alguma outra forma, mas me refiro ao poder criador de tudo, desde sempre e para sempre). Hoje eu não uso mais a frase "Se Deus quiser...", porque sei que Deus sempre quer o melhor para nós e não devemos nos esquecer de que vivemos as consequências de nossas escolhas, de nosso livre-arbítrio.

Não temos, ainda, capacidade para entender Deus de forma consistente.

Nosso nível evolutivo é ainda muito baixo para absorvermos toda a verdade.

Então, somente nos resta e somente basta saber que Ele nos ama incondicionalmente. Que Ele está sempre conosco, nos inspirando para as melhores escolhas e somente precisamos estar conectados para ouvir. Ele não tem preferências; Ele simplesmente nos ama e espera confiantemente o momento em que estaremos prontos para viver o verdadeiro despertar.

UMA JORNADA DE CURA E TRANSFORMAÇÃO

PONTOS-CHAVE DO CAPÍTULO:

- Deus está dentro de cada um de nós, na forma da mais pura energia do amor. Sempre que amamos, estamos nos conectando com Deus.
- Deus nos deu todos os recursos para que construamos uma vida da mais repleta felicidade. Somente temos que aprender a acessar essa verdade.
- Deus não nos pune, não nos penitencia. Mesmo diante de nossos erros, Ele sempre acredita que possamos percebê-los, superar e aprender.
- Conecte-se com Deus durante todo o dia, em cada momento de vida, agradecendo por todas as bençãos que recebemos diariamente simplesmente por estarmos vivos.

PARA SEU PLANO DE AÇÃO:

- Numa escala de 0 a 10, como está a sua conexão com a espiritualidade?
- De que forma você pode voltar a se conectar com Deus?
- Por onde vai começar?

13

MEDITAÇÃO

"Todo o propósito da meditação é mover nossa consciência para além de nossa mente analítica e nos fazer prestar atenção a nosso mundo interno de pensamentos e sentimentos."
Dr. Joe Dispenza

Meditação sempre foi, para mim, uma forma de relaxar, de acalmar a mente. Quando comecei a meditar, antes do diagnóstico do câncer, eu meditava em silêncio, marcando alguns minutos no alarme do celular e me esforçando muito para conseguir cumprir os cinco minutos programados sem abrir os olhos para checar se o tempo estava acabando. Era praticamente uma tortura... Então concluí que meditar em completo silêncio era algo muito complicado para mim, optando por experimentar com música suave de fundo. Eu me deitava na cama, colocava a música, e em menos de dois minutos já estava no quinto sono. Bem, ao menos a meditação estava me ajudando a relaxar por meio do sono... E foi assim durante um bom tempo de minha vida. Eu sabia da importância da meditação, até porque já tinha ouvido sobre isso diversas vezes nos congressos de *coaching* de que participei acerca dos benefícios da *mindfulness* (técnica de se manter atenção plena), uma das formas de meditação que mais se propagaram nos últimos anos.

Cheguei a começar um programa de formação em *mindfulness*, mas não o finalizei, porque estava distraída demais trabalhando muito.

Com o diagnóstico do câncer, decidi que meditaria por pelo menos quinze minutos por dia, pois sentia que a meditação me ajudava muito a lidar com a carga emocional que eu vivenciava durante o tratamento.

Em algum momento, ainda no início do meu processo de transformação pessoal, decidi reler o livro *Quebrando o hábito de ser você mesmo*, do Dr. Joe Dispenza, que eu havia lido anos antes, de forma meio que desatenta, confesso. Uma das atividades que eu mais experimentei, nos últimos anos, foi a leitura de livros sobre desenvolvimento pessoal, espiritualidade, quântica, alimentação, cura do câncer, saúde de forma geral.

Cada livro que li me ajudou a aprender um pouco mais sobre como criar uma vida de saúde integral, corpo, mente e espírito conectados.

Ao ler o livro do Dr. Joe, desenvolvi um forte interesse em conhecer melhor suas meditações e acabei adquirindo algumas, que eu praticava diariamente. A maioria das meditações do Dr. Joe era muito longa, acima de quarenta minutos cada uma. Eu então escolhi praticar as duas mais curtas que estavam disponíveis na época, chamadas "meditação da manhã" e "meditação da noite". Assim, por vários meses eu pratiquei ambas, e fui tomando gosto pelo processo meditativo, vendo seus efeitos em meu bem-estar de forma geral. Claro que minha mente divagava muito durante as meditações, mas eu sentia que havia começado uma nova etapa de minha prática meditativa.

Durante o período em que finalizei o primeiro tratamento e até descobrir que o câncer havia voltado a aparecer, meditei de forma aleatória, por cerca de vinte minutos ao dia, geralmente na cama e, muitas vezes, adormecendo no meio da prática.

Em novembro de 2020, quando aconteceu a suspeita de metástase pulmonar, decidi que elevaria a meditação a um outro nível.

Algo forte em meu coração (hoje sei que foi minha intuição, a voz de Deus falando comigo) me disse que eu deveria ler os demais livros do Dr. Joe e praticar as meditações de forma intensa.

Decidi retomar meus estudos sobre o poder do corpo em se curar, assistia a diversos vídeos *on-line* sobre o tema, *podcasts*, ouvi inúmeros depoimentos de pessoas que se curaram das mais diversas doenças em estágios muito graves, usando o poder da mente e da mudança de hábitos para isso.

Entrei em comunidades de alunos do Dr. Joe Dispenza e passei a meditar com eles, trocar experiências, me sentindo cuidada e orientada por quem já estava há mais tempo no processo.

Comecei a praticar diariamente meditações longas, de mais de uma hora de duração, também do Dr. Joe.

Aos poucos, fui me sentindo mais e mais desejosa daqueles momentos de meditação, me sentindo muito calma, centrada, num nível de conexão muito diferente do que eu sempre havia sentido. Sentia a energia "circulando" em meu corpo, como se estivesse com os pés e mãos formigando, algo muito novo para mim. Eu ficava ali, prestando atenção e me extasiando com aquela sensação diferente de tudo que eu já tinha sentido antes.

Poucas semanas após a retomada do tratamento quimioterápico, em fevereiro de 2021, fui para um retiro avançado de uma semana do Dr. Joe, em Cancún, México, num hotel maravilhoso, de frente para a praia, junto com mil e quinhentas pessoas de todo o mundo.

Precisei ter muita coragem para ir; afinal estávamos em plena pandemia da Covid, e eu em quimioterapia, risco duplo para uma viagem internacional entre Brasil e México.

Mas tudo aconteceu de forma tão perfeita para que a viagem desse certo que entendi o quanto deveria realmente ir e aperfeiçoar minha compreensão e prática na metodologia ensinada pelo Dr. Joe. Minha imensa gratidão a meu oncologista, Dr. Cleberson Queiroz, por ter entendido o quanto a viagem era importante para mim e ter me apoiado integralmente a fazê-la!

E lá fui eu, na companhia de meu esposo, que adorou curtir o hotel durante todo aquele período, enquanto eu frequentava o retiro.

Foram dias intensos, de muita meditação e muito aprendizado nas trocas de experiência em grupos, nas falas do Dr. Joe, nas minhas reflexões e nas práticas meditativas que, em alguns dias, começavam às quatro horas da manhã e seguiam até sete horas da noite, com breves intervalos entre elas.

Naqueles dias, eu consegui realmente compreender o que significava meditar. Compreendi que a meditação é uma prática que nos possibilita muito, mas muito mais que simplesmente nos sentirmos relaxados ou centrados.

A meditação é o caminho para a mudança interior efetiva.

Pela meditação ampliamos nossa capacidade de auto-observação, de forma a percebermos os pensamentos e crenças recorrentes que nos mantêm presos ao passado, numa eterna repetição de padrões.

Na meditação, temos a possibilidade de nos conectar a Deus, ouvir suas orientações, por meio de nossa intuição.

Na meditação, temos a possibilidade de mudar nossa frequência vibratória, de forma a harmonizar nossos centros energéticos (ou chacras) para a cura do corpo físico, regulando todo o nosso sistema hormonal.

Na meditação, temos a possibilidade de potencializar o campo energético que temos em volta de nosso corpo físico, integrando-o ao campo quântico universal e acessando possibilidades que somente se manifestariam em nossas vidas físicas com muito esforço e tempo.

Na meditação, temos a possibilidade de desenvolver uma capacidade imensa de autoconhecimento e autorregulação, percebendo nossas emoções e as transformando em todos os momentos do dia. Aprendemos a ficar realmente presentes nas situações que vivemos.

Na meditação, temos a possibilidade de reequilibrar nossos hormônios, de restaurar nossas células danificadas, de reprogramar nosso DNA! Não tenho o objetivo de detalhar aqui tudo que aprendi em termos teóricos sobre a meditação, mas aconselho a todos que busquem estudar os diversos autores que hoje se dedicam ao tema, como Dr. Joe Dispenza, Gregg Braden, Deepak Chopra e Bruce Lipton, por exemplo.

Há tanta pesquisa e estudo sério por trás da meditação, que eu recomendo a todos analisarem e compreenderem as infinitas possibilidades que essa prática milenar trará para sua vida.

Eu encontrei na meditação o caminho da minha cura.

Primeiramente, ao compreender que o meu foco estava errado! Eu não deveria me focar em obter a cura física, como havia feito até então. Porque se me sentisse "doente", eu estaria vibrando a energia da doença e não da saúde. Eu deveria focar minha própria transformação pessoal, em me tornar uma nova versão de mim mesma, com outros pensamentos, sentimentos e atitudes. Aprendi que devemos sentir a emoção correspondente aos eventos que queremos que se manifestem em nossas vidas! Então, passei a sentir a gratidão e a alegria pela cura que eu já sentia em minha vida, independentemente do que os exames pudessem mostrar. Eu simplesmente fechava meus olhos e me sentia completamente saudável.

Após o retiro, no qual também fiz amigos com os quais me mantive conectada e com quem aprendo muito, passei a meditar ainda mais intensamente, cerca de quase três horas por dia, por diversos meses.

Sempre que eu começo uma sessão de meditação, estabeleço antes uma "intenção" ou uma "pergunta" sobre algo que eu gostaria de melhor processar, aprender ou compreender.

E as respostas sempre vêm! Passei a me sentir mais e mais motivada para meditar, comecei a sentir meu corpo vibrando, flutuando, tremendo, em muitas práticas.

Lembro-me perfeitamente de um dia em que eu estava com dúvidas sobre determinado investimento e decidi meditar para melhor decidir. Assim que a meditação foi finalizando, me veio a frase: faça somente o que te trará mais paz.

Pode parecer meio óbvio, não é? Mas eu não estava "acessando" essa forma de enxergar as coisas antes daquela meditação. Senti-me muito grata por tal instrução e tomei a decisão seguindo a lógica do caminho que me traria mais paz.

Em outra oportunidade meditativa, em que eu estava um pouco mais ansiosa pelos exames de rotina, senti um amor tão profundo em meu peito, chorei copiosamente durante a meditação e, ao final, veio a mensagem:

"Deus é amor, e Ele quer que você se ame profundamente, como Ele te ama.

Ao se amar, você experimenta Deus em sua vida".

Foi quase como uma revelação, e eu queria compartilhar com todos os meus amigos e familiares aquela experiência. Imagino que, para quem leu o que escrevi naquele dia, provavelmente não tenha feito nem um décimo do sentido que fez para mim.

Mas espero ter, de alguma forma, inspirado alguém a colocar mais amor em sua vida.

Nunca mais parei de meditar diariamente. Procuro meditar pelo menos por uma hora por dia. Se eu estiver viajando, medito durante o voo. Sento-me, coloco meu "tapa-olhos" e meus fones de ouvido e medito com os áudios de meditações guiadas do Dr. Joe Dispenza, que são simplesmente maravilhosos. Voltando à experiência do meu primeiro retiro em Cancún, fizemos meditações caminhando na praia. Uau, eram momentos de pura inspiração!

Nunca me esquecerei de um dia em que, ao terminar a meditação e abrir meus olhos, deitada na areia da praia, vi uma linda lua com seu forte reflexo no mar. Senti-me tão grata, tão feliz em estar ali... Senti que aquela imagem era, mais uma vez, um presente de Deus para a minha vida.

Então, muito emocionada, eu fechei novamente meus olhos, fiz uma oração, e, depois, me imaginei abraçando Dr. Joe e o agradecendo por tudo que eu havia aprendido com ele não somente naqueles dias do retiro, mas nos meus últimos meses de aprofundamento no método que ele ensina. Após minha visualização, levantei-me da areia e voltei para o hotel, caminhando pela praia. Já era começo de noite e estava escuro. De repente, eu me vi diante do Dr. Joe, que estava na praia, acompanhando as experiências meditativas dos alunos. Aproximei-me dele e pedi licença para abraçá-lo e dizer a ele exatamente as palavras que eu havia pensado enquanto estava ainda deitada. Ele sorriu, me agradeceu e disse de sua alegria em poder ser útil para mim. Eu senti que havia manifestado, com meus pensamentos e sentimentos, aquele encontro. Eu o atraí para minha realidade.

Passei o ano de 2021 em estado meditativo profundo. No início de 2022, decidi retornar a Cancún, para o mesmo retiro. E, para mim, foi ainda mais poderoso! Consegui escutar cada ensinamento do Dr. Joe de forma ainda mais profunda, compreendendo o que me faltava entender das teorias que ele ensina, meditando com maior conexão. Vivi experiências espetaculares naqueles dias, senti e vi coisas que eu nunca imaginaria em minha vida que fossem possíveis. Tive uma experiência mística muito forte, que marcará a minha existência para sempre. E eu estava lá sem nenhuma expectativa, apenas feliz por voltar, um ano após ter ido pela primeira vez, completamente curada em meu corpo físico e em todo o meu ser. Estava com a companhia perfeita, nesse segundo retiro, de minha amiga Andrea Boscolo, que me deu uma perspectiva ainda mais profunda e significativa dos meus aprendizados naquele retiro. Há inúmeras práticas meditativas maravilhosas. Inúmeros professores disponíveis para nos possibilitar um profundo aprendizado sobre a filosofia e a prática da meditação.

Eu hoje sei, por minha própria história, que tanto a meditação quanto a oração são as formas de estarmos com Deus, de acessarmos seu amor infinito e todo o poder que temos de sermos os criadores de nossa própria vida. Temos o poder de criar o que desejamos! Inclusive, a cura do corpo físico. As pessoas que sabem que medito por períodos tão longos compartilham comigo sua angústia em não conseguir fazê-lo, alegando que adormecem ou se distraem, sentindo-se frustradas por não "conseguirem conter seus pensamentos".

Eu sempre lhes digo que os pensamentos irão sempre aparecer e que devemos nos tornar indiferentes a eles! Perceber que estão presentes e voltar à meditação. Mesmo após tanto tempo praticando, eu ainda vivencio isso acontecendo comigo, a mente analítica querendo me distrair. Mas eu persisto, todo dia, em meu processo interior, pois sei o quanto ele é maravilhoso. Eu pratico meditações guiadas porque sei que elas nos ajudam muito nesse contexto da distração, sendo particularmente úteis para quem está no começo. Também reforço que pratiquemos a meditação sentados em uma cadeira, não em nossas camas, porque nosso cérebro já entendeu que cama é lugar de dormir. Ninguém medita errado, mas de acordo com seu nível de consciência e de conexão com o campo energético. Não importa como você vai começar, afinal, meditar cinco minutos por dia é melhor do que não meditar! Eu também comecei meditando pouco e fui, gradativamente, aumentando o tempo dedicado à prática.

Hoje, após um bom tempo meditando tão intensivamente, percebo que não preciso mais da prática em si para estar em estado meditativo ao longo do dia. Sim, continuo meditando porque a prática reforça minha conexão com o campo quântico de uma forma surpreendente, garantindo a harmonização de meus centros energéticos e a coerência entre coração e mente, fundamentais para a saúde e para aumentar nossa frequência vibracional. Isso tudo tem sido determinante para que eu continue manifestando abundância em todas as áreas de minha vida.

Porém eu não preciso mais me sentar para meditar para então me sentir centrada, presente, amando a mim e aos outros, sentindo gratidão, alegria, paz, percebendo minhas emoções e as transformando de forma imediata, por exemplo.

Hoje eu posso dizer que meu dia inteiro é uma linda meditação.

E veja: mesmo assim, eu mantenho meu ritual de meditação, todos os dias.

Eu acredito que é exatamente nesse lugar que todos precisaríamos chegar.

O da completa conexão consigo mesmo e com o todo.

A meditação é, em minha visão e experiência pessoal, o melhor meio de transporte para lá.

Medito para encontrar a verdade. A verdade sobre quem eu sou e sobre quem quero ser.

Sobre os padrões que sempre me governaram e que não desejo mais, sejam crenças, valores, emoções, hábitos, comportamentos. A verdade nua e crua, sem cortinas.

Isso me leva a conectar com Deus porque é por meio da espiritualidade que somos inspirados a todo o momento a perceber, a escolher.

Meditar me coloca em contato direto com o campo das infinitas possibilidades, o campo quântico. Ali, eu manifesto o que desejo para minha vida, em todas as áreas.

Meditar me traz saúde porque regula toda a química do meu corpo, pela paz e por meio da calma, da alegria e gratidão que sinto no processo.

Quando sinto dor, eu me sento em meditação com ela. Quando sinto medo, eu me sento em meditação com ele. Sento-me com a impaciência, com a ansiedade. Eu simplesmente me sento e medito. E me levanto, a cada prática meditativa, um pouco melhor, com mais bem-estar, mais paz em meu coração, mas leve e com mais clareza do que preciso aprender e evoluir. Quando me sinto desconectada, voltando a acessar pensamentos de preocupação e ansiedade a respeito do futuro, eu me sento e medito. E aí eu me lembro novamente do que sou, de por que estou aqui, do que significa viver.

E volto para a paz, para a confiança no desconhecido.

Um dia de cada vez, vou meditando e me conectando ao maravilhoso momento presente, que é o único lugar em que deveríamos viver.

UMA JORNADA DE CURA E TRANSFORMAÇÃO

PONTOS-CHAVE DO CAPÍTULO:

- A meditação nos permite praticar o mais verdadeiro exercício de autoconhecimento que existe, de forma a percebermos nossos pensamentos, sentimentos e ações, para transformá-los.
- Ela também nos permite conectar com o campo energético que nos envolve e do qual fazemos parte, de forma a sincronizarmo-lo com a frequência vibracional daquilo que desejamos que se manifeste em nossas vidas.
- A meditação promove uma regulação hormonal por meio do alinhamento dos centros energéticos, impactando a restauração de nossas células e reprogramação genética.
- Medite todos os dias, começando com poucos minutos e aumentando o tempo aos poucos, até que possa perceber os impactos positivos em seu bem-estar, em sua saúde, em sua vida de forma geral.
- É normal que nossa mente fique cheia de pensamentos durante a meditação. O processo é perceber e voltar para a prática. E assim, a cada vez, ganhamos mais domínio sobre esse processo de ficar no momento presente.

PARA SEU PLANO DE AÇÃO:

- Caso nunca tenha meditado, como você gostaria de começar?
- Caso você já medite, como pode levar sua prática para um nível ainda melhor?

14

O CAMPO QUÂNTICO

"Ao se tornar mais consciente, você consegue encontrar o caminho oculto que une quem você realmente é com a vida que você merece viver."

Deepak Chopra

Nos últimos anos, eu me dediquei a me aprofundar no conhecimento sobre a física quântica, porque acredito fortemente na nossa capacidade de, com a nossa mente, manifestar o que desejamos em nossa vida, criando nossa realidade.

Quando o documentário *O segredo* foi lançado, em 2006, organizei uma "sessão pipoca" em minha empresa. Chamei amigos, familiares e clientes, e assistimos juntos ao filme. Esse documentário, que deu origem a um livro com o mesmo nome, traz diversos depoimentos de como a "lei da atração" funciona. Mesmo antes de ter tido contato com essa teoria, eu já sentia, em minha realidade, o poder da positividade.

Sempre acreditei que meus objetivos se realizariam, que eu poderia viver uma vida plena de prosperidade.

Sempre criei quadros mentais (e físicos) com visão de futuro que continham meus projetos de vida para cada ano, com meus desejos e objetivos. E praticamente tudo a que direcionei minha atenção para realizar foi concretizado. Porém, como eu já compartilhei antes, o nível de esforço que precisei fazer para que meus projetos se concretizassem foi muito alto.

Então, comecei a questionar a validade da referida teoria, já que, na prática, eu só conseguira realizar meus objetivos com muito esforço, com muita dedicação para estudar e trabalhar nos planos que desenhei para eles.

Até que, com o diagnóstico, ao começar a estudar mais profundamente a energia quântica, meus olhos e minha mente foram se abrindo para uma verdade que eu nunca havia entrado em contato: havia uma maneira de acessar o campo quântico de forma a reduzir o esforço na materialização de meus projetos e sonhos.

Reconheço que há poucas evidências concretas divulgadas sobre o assunto, e a teoria chega a ser considerada um pensamento místico pela grande maioria de pessoas que toma conhecimento dela. Eu mesma já fiz esse julgamento...

Mesmo assim, eu decidi pesquisar informações baseadas em comprovação científica e não no misticismo.

E encontrei uma riqueza impressionante de estudos consistentes, conhecimento valiosíssimo que, eu espero, um dia seja acessado por todos e se torne mais e mais divulgado.

Não tenho a menor pretensão de falar com profundidade técnica sobre esse tema, já que não tenho a formação para tal, como a têm inúmeros autores chamados de "ativistas quânticos".

Só quero compartilhar aqui minha experiência, meus aprendizados, e deixar você, meu querido leitor, no mínimo curioso para buscar mais informações e chegar às próprias conclusões.

Quando comecei a estudar, eu entendi que tudo é feito de energia: nossos corpos, nossos pensamentos, nossas emoções, a natureza, tudo o que vemos com nossos olhos (ou percebemos pelos nossos sentidos) e tudo aquilo que não enxergamos.

Há muito mais que não podemos ver com os olhos, como as ondas de rádio, sinal de Internet, ondas eletromagnéticas, por exemplo. O universo é um grande campo energético, em que tudo e todos estão interconectados como numa rede.

E, como energia, tudo tem uma frequência própria. Pensamentos e emoções têm frequências próprias.

Quando sentimos emoções como medo, raiva, frustração ou indignação, estamos vibrando energia de frequência baixa.

E quanto mais intensa for a emoção, mais alta a frequência vibratória. Portanto, quando sentimos alegria, amor, paz e gratidão, estamos num nível energético mais alto.

E como qualquer energia sintoniza com energia similar, temos o poder de trazer para nossa realidade física experiências que correspondem às frequências energéticas que nós próprios estamos vibrando. Por exemplo, se desejamos experimentar mais amor em nossas vidas, devemos vibrar a energia do amor.

Se desejamos experimentar mais prosperidade financeira, devemos vibrar a energia da abundância, da prosperidade.

Ao alinharmos a frequência vibratória que estamos emanando para o campo quântico, maior será nosso poder de atrair para nosso "radar" experiências com frequências vibratórias compatíveis.

Então, quando aprendemos a alinhar nossa energia com a energia do que desejamos para a nossa vida, não precisamos fazer muito esforço para concretizar e experimentar nossos objetivos, sonhos e projetos na realidade tridimensional.

Simplesmente porque a nossa própria energia está atuando para trazer para nossa realidade física experiências energeticamente similares, reduzindo o tempo e o esforço para que nossos sonhos e projetos de vida se realizem. Ou seja: quanto mais aprendemos e nos tornamos mais conscientes dessa realidade (que não podemos enxergar), mais fácil a vida fica. Quanto mais nos conectarmos com o poder de nossa consciência, mais "milagres" experimentaremos, porque mais poderosos nos tornamos em acessar tudo o que o Universo, que existe como um campo quântico, guarda para nós, em suas infinitas possibilidades.

Certo dia, ouvi uma explicação sobre isso que me possibilitou compreender melhor como o universo quântico funciona: sabemos que existem vários canais de rádio disponíveis ao mesmo tempo, porém somente conseguimos sintonizar um de cada vez. Ao sintonizarmos um canal específico para ouvir sua programação, sabemos que os outros canais não deixaram de existir; estão lá, acontecendo paralelamente, mesmo que não estejamos conectados neles. Assim é o universo com suas diversas possibilidades, que estão acontecendo simultaneamente, mas somente acessamos uma: aquela que vibrarmos na mesma frequência, conforme nosso estado de ser.

Eu confesso que, quando ouvi sobre isso da primeira vez, bem antes do diagnóstico, tudo me pareceu deveras fantasioso, muito longe de meu modelo mental racional e baseado apenas no que a ciência tradicional já comprovou. Mas hoje sei que há muita comprovação científica que não acessamos, porque há controvérsias, porque há muita informação disponível e, também, porque há o modelo mental predominante da cultura em que vivemos.

Então, cabe a nós escolher que linha iremos seguir, em que acreditar... Eu escolhi estudar e aprender sobre esse tema, com a mente aberta para o novo, para quebrar paradigmas e ampliar minha visão sobre tudo.

E foi a melhor escolha que eu poderia ter feito!

Hoje compreendo a vida, quem somos, o que somos, de uma forma muito diferente, muito mais consistente, coerente e significativa para mim. Eu respeito a opinião daqueles que não acreditam no que escrevi neste capítulo, compreendo que se trata de uma nova forma de enxergar a realidade e que demora para que os conhecimentos se consolidem e sejam divulgados de forma ampla, com respaldo científico de estudos e pesquisas publicados. Mas eu sei que estamos no caminho e isso me deixa muito feliz! Porque sei que o conhecimento liberta.

Eu me sinto livre por hoje compreender. Por saber que sou criadora de minha realidade. Por saber que posso manifestar o que desejar em minha vida, desde que eu me alinhe com isso. O grande desafio é confiar no desconhecido, porque não sabemos quando nem como as novas experiências irão se manifestar no mundo material. O exercício do desapego é a base da manifestação porque ele pressupõe que confiemos plenamente em que tudo que está acontecendo em nossas vidas é exatamente o que precisaria acontecer. Com essa crença, não há pressão, não há cobranças, não há expectativas irreais.

Somente o que precisamos fazer é vibrar em alta frequência, presentes em pensamentos e emoções elevados como amor, alegria, gratidão e paz. Se absolutamente tudo que acontece conosco está diretamente relacionado com o que somos (pensamentos, hábitos e emoções), não adianta pensar positivo e "sentir negativo". Precisamos alinhar nossos pensamentos com nossos sentimentos, de forma a nos conectarmos com o campo quântico no nível vibratório daquilo que queremos atrair para nossas vidas. Para isso, é preciso sentir como se o futuro que você deseja já estivesse acontecendo agora. Mas como fazer isso?

Bem, imagine que você acordasse amanhã e um dos seus maiores sonhos já estivesse realizado. Você sentiria alegria e gratidão por isso, correto?

Então, se conseguirmos sentir essas mesmas emoções antes da realização de nossos sonhos, isso significa que estaremos vibrando em frequência similar à dos nossos sonhos, contribuindo para que eles se manifestem o quanto antes em nossas vidas.

Enquanto estava vibrando na energia do medo, da culpa, da impotência, eu permitia que se manifestasse em minha vida experiências de carga vibratória correspondentes ou similares. E a doença é uma delas!

Perceber tudo isso, compreender como tudo está conectado, cada fato em nossa vida, cada circunstância, cada pessoa, como somos energia pura e como nossa vibração afeta o que iremos atrair para nossa vida é viver o despertar!

Despertar para a mais profunda compreensão de que cada um de nós está sempre criando a sua própria realidade, que tudo o que vivemos, as experiências boas e ruins, é resultado de nossa criação por meio do poder da união de nossa mente e de nosso coração, para manifestar no mundo físico, tridimensional, aquilo que vibramos.

O grande desafio, então, está no fato de que, para criar, temos que diariamente pensar e sentir de forma alinhada, e isso requer algum tempo até que estejamos vibrando na mesma frequência do que queremos que se manifeste em nossas vidas.

Por exemplo, se eu estou construindo um corpo perfeito e saudável, mesmo diante do diagnóstico dado pelo médico, devo continuar me sentindo perfeitamente bem e saudável, completamente confiante de que estou curada. É muito difícil sentir-se curada e saudável quando você recebe um diagnóstico de câncer! Somos humanos, temos medo, temos dúvidas, sentimos dor, sentimos as emoções na pele. Tendemos a desconfiar de tudo que não vemos. Queremos provas. Queremos certezas reconfortantes. Queremos alguém que nos diga que "está tudo bem".

Há pouco tempo, eu somente acreditaria em minha cura se meu médico me dissesse: "Os exames mostram que você está curada".

Porém eu sei que no caso do câncer é preciso muitos anos em "remissão" para um médico fazer tal afirmação.

Confiar em que nós somos os criadores de nossas vidas é um ato de fé. Meditar nos leva para esse lugar em que podemos, diariamente, nos lembrar de que nós criamos a nossa realidade e que nada externo a nós tem o poder de determinar o que acontece conosco, a não ser que permitamos. A fé verdadeira é isso: confiar sem enxergar (bem-aventurados os que não viram e assim mesmo creram...), porque sabemos que está tudo bem, alinhado à nossa frequência vibratória e com nossas necessidades de aprendizado e evolução.

Pela meditação, encontramos esse lugar de confiança, de forma a sentirmos a paz no coração e a estarmos presentes, no momento atual, sem a constante "ruminação" do passado e/ou do futuro.

Certo dia, acordei me sentindo ansiosa com alguns desafios que estavam acontecendo repetidamente em minha empresa, os quais eu me sentia impotente para resolver.

Então eu me sentei para meditar. Uma longa meditação de quase duas horas. No começo, minha mente estava distraída, os desafios ficavam vindo à mente e meus pensamentos de querer chegar a uma solução para os desafios profissionais me tiravam o foco do momento presente, de me conectar com meu corpo, com minha respiração, de me sentir apenas como uma consciência, sem pensar em nada específico. Mas eu persisti: trazia minha atenção de volta para a meditação guiada que estava fazendo, confiante de que, ao final, eu teria compreendido como lidar com aquela situação toda.

E, como sempre, de repente, lá pelo final da prática, as respostas vieram.

Com muita clareza, eu ouvi, do fundo de minha alma, a seguinte mensagem:

"Lembre-se que nada acontece por acaso. Cada adversidade em sua vida é necessária em seu processo de crescimento e evolução. Cada pessoa que cruza seu caminho vem para te provocar, de alguma forma, a evoluir, a aprender. Se você está repetidamente vivendo a mesma realidade, é porque ainda não aprendeu. Veja que você está se fazendo a pergunta errada! Não é para se perguntar: 'O que eu preciso FAZER para resolver a situação?', mas, sim: 'Quem eu preciso SER para não precisar mais lidar com esse tipo de situação?'. Lembre-se que o objetivo final de todos é se tornar puro amor. Então, tudo o que está acontecendo em sua vida é para te impulsionar no sentido de você se tornar amor, o mais puro amor, por Deus, por si e pelo próximo. Então, o que você precisa nesse momento é SER puro amor, lidar com esses desafios da forma mais amorosa possível, buscando se comunicar e agir com amor em suas palavras, buscando alternativas que representem o melhor para todos. É assim que você irá eliminar definitivamente esse tipo de contexto de sua vida, ao se tornar, a cada dia, uma pessoa mais amorosa. Enquanto isso não se realiza, os eventos continuarão acontecendo em sua vida, para te ajudar a evoluir".

Eu terminei aquela meditação em prantos. Porque, afinal, agora estava tão claro para mim! Diante de todas as adversidades da vida, devemos nos lembrar de que estamos vivos para evoluir, para nos tornar puro amor. A dor que sentimos diante das situações difíceis é o impulso da mudança que podemos realizar, caso desejemos, com nosso livre-arbítrio.

Energeticamente, quando eu me transformo em uma pessoa diferente, eu transformo o campo energético que componho, porque começo a atrair pessoas e situações diferentes, em sintonia vibracional com minha nova forma de ser.

Se queremos um futuro diferente de nosso passado, é preciso sair do conhecido, do confortável, escolhendo o desconforto do desconhecido.

E as possibilidades são ilimitadas! Não existe nada que não possamos manifestar em nossas vidas. Porém temos que entender a essência do processo, saindo da visão simplista do "pensamento positivo", para a visão quântica de que atraímos aquilo que SOMOS.

Uma pessoa mesquinha e egoísta terá muito mais dificuldade para experimentar da abundância permanente em sua vida porque a energia que ela vibra, por sua forma de ser, é contrária à energia da prosperidade e da generosidade.

Da mesma forma, uma pessoa que deseja experimentar mais amor em sua vida, em um relacionamento íntimo feliz, precisa vibrar amor em sua forma de ser. Precisa se amar primeiro, se respeitar e se valorizar. Somente na vibração energética do amor é que ela irá atrair para sua realidade física alguém compatível. Caso contrário, poderá atrair pessoas que desejem apenas relacionamentos fugazes ou que não a amarão profunda e verdadeiramente. Uma pessoa que vive em estado de sofrimento, angustiada, preocupada e com medo acaba por experimentar uma vida que se mostra cada vez mais complicada, parece que está presa num emaranhado de circunstâncias que somente refletem a confusão que acontece dentro da própria pessoa. Se por dentro houver caos, por fora também haverá. Afinal, nossa vida é o perfeito reflexo do nosso mundo interno.

Quanto mais conseguimos vivenciar a experiência da energia quântica, sentindo em nossa vida a sua manifestação, mais e mais vamos criando conexões neuronais que nos facilitam conectar com ela.

Portanto, quanto mais eu vibro em alta frequência, por pensamentos e emoções elevados, mais eu experimento em minha vida a concretização de meus objetivos. Ao meditar, fica mais e mais possível esse nível vibracional. Quanto mais vivemos em um belo estado de ser, mais sincronicidades perfeitas começam a se manifestar de forma a experimentarmos acontecimentos diretamente relacionados às nossas intenções mais genuínas.

Desejo que esse pouco que eu trouxe sobre o assunto tenha deixado você, meu leitor, com a vontade de ir mais a fundo, de descobrir mais. Há muitos livros sobre o tema, que explicam com ricos detalhes como esse processo acontece. Se decidir mergulhar nesse conhecimento, saiba que sua vida não será mais a mesma, tenho certeza! Ela será muito melhor, mais fluida. Sei que ainda há muito a ser revelado ou descoberto nessa área. Eu vibro para que muitos estudos comprovem, nos termos da mais avançada ciência, aquilo que profissionais sérios e dedicados, como meu querido Dr. Joe Dispenza, têm pesquisado, experimentado, observado, em seu tempo e esforços, trabalhando com afinco para nos ensinar de forma objetiva e simples.

Sou uma prova viva dessa teoria. Estou certa, completamente, de que somente estou hoje aqui, quase quatro anos após o diagnóstico do câncer, com os exames todos mostrando minha mais completa saúde, porque eu acreditei. Por meio da meditação, eu me conectei e continuo me conectando diariamente ao campo quântico. Percebo os impactos dessa prática em minha vida, em minha capacidade de atrair sincronicidades para a minha realidade e, assim, conseguir realizar com muito, muito menos esforço, tudo aquilo que desejo. E eu ainda fico boquiaberta ao perceber os milagres acontecendo em minha vida... Fico pensando em o quanto eu desejo que as pessoas acessem esse poder, porque a vida delas será tão mais feliz!

O poder da nossa mente é algo incrível, poderoso, que chega a ser inacreditável para pessoas materialistas, céticas como eu já fui. Mas hoje consigo perceber com clareza o que é a vida, o que é o campo quântico. E quanto mais eu pratico, quanto mais eu me conecto, mais fácil eu acesso a fonte e manifesto tudo aquilo que preciso e desejo em minha vida. As sincronicidades e manifestações são muitas, desde pequenas "coincidências" a verdadeiros "milagres".

Vou dar um exemplo de algo que aconteceu comigo e que me deixou boquiaberta com o poder de conexão que temos.

Eu estava com meu esposo no aeroporto de Guarulhos, esperando para embarcar num voo de volta a Cuiabá. Já era noite, chegamos cedo e estávamos cansados, eu me sentia sem energia. Então decidimos procurar um lugar mais silencioso no aeroporto, de forma que eu pudesse meditar por uma hora, até que o embarque começasse. Andamos bastante até chegar a um portão de embarque distante do nosso, em que não havia ninguém por perto.

Então nos sentamos e eu coloquei meu "kit meditação" (um tapa-olhos e o fone de ouvidos) e meditei profundamente. Ao finalizar, eu já me sentia outra pessoa, com energia, descansada, alegre e disposta para o voo que viria. Olhei para meu esposo ao lado e lhe disse: "Vamos então para o nosso portão de embarque?". E ele me respondeu: "Não precisamos sair daqui, pois nosso voo mudou para este exato portão em que estamos".

Eu só sorri e entendi que, com minha conexão com o campo, de forma inconsciente captei que o voo seria naquele portão de embarque, e me guiei para lá sem ter a mínima ideia de que ali seria o lugar onde deveríamos ficar. Eu vibrava a energia do descanso, da calma, da tranquilidade e serenidade. E foi isso que consegui: num aeroporto enorme, lotado e barulhento, eu encontrei o lugar ideal para meu descanso, para minha meditação. Esse é apenas um exemplo das dezenas de experiências incríveis de sincronicidades que vivi no último ano, desde que iniciei processos meditativos profundos.

Eu convido você a dar uma chance ao novo! A abrir sua mente para essa nova forma de enxergar a vida.

E, se assim decidir fazê-lo, é só prestar atenção aos milagres que se realizarão diante de seus olhos.

Você será a sua maior prova de como somos os criadores de nossa realidade.

VIVA O DESPERTAR PARA UMA NOVA VIDA

PONTOS-CHAVE DO CAPÍTULO:

- Tudo é energia e vivemos conectados em um infinito campo eletromagnético que nossos olhos não são capazes de enxergar.
- Nós vibramos numa frequência energética específica e de acordo com nossos pensamentos e emoções.
- Se queremos viver uma nova realidade, devemos nos tornar uma nova versão de nós mesmos que vibre na mesma frequência dessa nova realidade.
- "Coincidências" não existem: as sincronicidades que acontecem em nossa vida surgem quando há alinhamento entre nossa frequência energética e a frequência das experiências que desejamos viver.
- Quando entramos em estado profundo de meditação, nós nos conectamos com o campo quântico e começamos a acessar informações no mesmo, em forma de intuição, para que tomemos melhores decisões e recebamos respostas sobre as perguntas que temos sobre tudo o que desejamos compreender melhor.

PARA SEU PLANO DE AÇÃO:

- Você já percebeu, em algum momento de sua vida, as tais "coincidências" acontecendo? Pense sobre elas.
- O que as sincronicidades que você vivenciou lhe ensinaram sobre si mesmo, sobre a vida, sobre o campo energético em que vivemos?
- Por que será que você está manifestando em sua realidade material, no que chamamos de "mundo tridimensional", as circunstâncias que têm vivenciado?
- O que você vai mudar em você, em sua forma de pensar, sentir e agir, para que uma nova realidade se manifeste em sua vida?

15

MENSAGEM FINAL

Minha grande amiga Carolina Shorter, que mora em Los Angeles, ao receber de mim a notícia do câncer, me disse que no núcleo budista do qual ela participa, quando alguém compartilha que recebeu o diagnóstico de câncer, as pessoas falam "parabéns por essa benção".

Quando ela me disse isso, lá no início de meu processo, confesso que fiquei um tanto quanto chocada, sentindo que somente quem nunca passou pelo câncer poderia dizer algo assim, achar que câncer é "benção". "No mínimo uma grande falta de empatia e sensibilidade, beirando a crueldade", eu pensei.

Mas hoje, depois de todo esse tempo e todo o aprendizado que tive, eu consigo compreender com muita clareza o quanto realmente foi benção. O câncer foi o maior e mais efetivo convite que eu recebi para ser a pessoa que eu sempre quis ser!

Eu sempre pedi a Deus, desde muito jovem, a me ajudar a evoluir o máximo que eu pudesse nesta existência. Meu pedido está sendo atendido! Por meio do câncer, eu pude ir ao fundo do poço e de lá sair, compreendendo tudo que sempre esteve ao meu alcance, mas que, sem a dor, eu não conseguia enxergar.

Veja: não desejo que ninguém tenha câncer.

Eu também não queria ter tido câncer, é óbvio. Mas hoje sei que ele foi necessário em meu processo de transformação.

Nossa vida é exatamente como precisa ser, para que possamos vivenciar as experiências que irão nos ajudar a evoluir.

É claro que desejo a todos que possam aprender sem precisar de nenhuma doença grave ou tragédia em sua vida para isso.

Porém hoje eu sei que mudar pelo amor e não pela dor é algo que muitos poucos conseguem fazer de verdade.

Sei que não quero mais um dia sequer daquela vida que eu levava! Adormecida, envolvida na ilusão da matéria, presa em minhas crenças limitantes, cheia de culpa, medo e ansiedade, me tratando mal, não me amando de verdade, sentindo que seria traída, abandonada, rejeitada.

Eu queria leveza, alegria, paz, sentir-me amada e protegida.

Mas já sei que não conseguimos mudar nossas vidas sendo as mesmas pessoas. Temos que nos tornar alguém diferente.

O câncer me levou para esse lugar, o de me transformar realmente. E hoje eu digo com confiança: eu vou viver lindamente, vou ser avó, vou ser tia-avó, quem sabe até bisavó!

E quero que cada pessoa do mundo saiba o quão magnífica a vida é! Quero espalhar muito amor pelo mundo e levar essa mensagem de paz, amor e transformação, que hoje carrego em meu coração e em minha mente. Não sei quanto tempo terei de vida neste corpo, nenhum de nós sabe quando faremos a transição deste mundo físico para o espiritual.

Mas sei que, mesmo se eu me for hoje, o que eu aprendi, a felicidade imensa que sinto hoje em meu coração por ter entendido, por ter despertado, valeu cada minuto de minha vida até aqui.

Sentir o amor de Deus em meu coração, me permite olhar para cada segundo de minha existência com orgulho, com compaixão e aceitação.

Hoje eu aprendi a viver no momento presente.

A confiar em que meu futuro me reserva tudo que vibra na mesma frequência que eu vibro. A ficar confortável com o desconhecido, me abrindo para as possibilidades.

Hoje eu sinto a brisa no meu rosto e me emociono de gratidão.

Ouço o canto dos pássaros e isso me faz sorrir.

Danço enquanto caminho, sem me preocupar se alguém vai achar aquilo "ridículo".

Vejo alguém cantarolando e cantarolo junto.

Hoje eu sou mais leve, mais alegre, mais humilde, mais serena, mais amorosa, mais atenciosa, mais paciente, mais feliz que nunca!

Então, eu não mudaria nada em minha vida.

Porque tudo foi importante, na minha jornada de aprendizado. Compreendo que cada pessoa tem seu tempo de despertar, de compreender.

Não julgo mais, não exijo que me ouçam ou que sigam meus passos. Eu compartilho com amor o que aprendi, para que o outro faça o uso que quiser deste aprendizado.

Temos que lembrar que, por maior que seja a dor que estejamos passando, ela nunca será permanente. Sempre haverá um novo dia, com novas e infinitas possibilidades.

E sempre haverá a eternidade, o amor infinito de Deus em torno de nós, de todos nós.

Não existe adeus de verdade, somente "até logo".

Escolhi o amor em vez do medo. E isso fez e faz toda a diferença. A imagem da capa deste livro veio para mim em uma das meditações que fiz durante o retiro do Dr. Joe em fevereiro de 2022.

Eu vi a imagem daquelas três mulheres abraçadas, olhando para o sol nascer, numa linda praia.

E compreendi que eu era todas elas.

A primeira, a Lorena "antiga", jovem e imatura, que fez sempre o melhor que pôde com o nível de compreensão que tinha. Ela sofreu muito, batalhou muito para realizar o que realizou. Eu honro essa minha antiga versão, com muita gratidão por tudo que aprendi com ela, por tudo que ela passou.

A segunda, a Lorena "atual", uma mulher consciente de si, de sua "verdade interior", que presta atenção a seu estado, que não é mais vítima da criança ferida, que se lembra diariamente do seu poder de criar a realidade. Eu vivo quem eu sou hoje, com alegria e gratidão pelo que me tornei.

E a terceira, a Lorena "futura", madura e plena, que viverá cada segundo da vida num profundo estado de serenidade, e que terá ainda mais a compartilhar com todos à sua volta.

Eu sempre serei um pouco de cada uma delas. Como todos nós seremos um pouco de todas as nossas versões.

Honremos e confiemos em nossa jornada, que sempre nos trará oportunidades maravilhosas de irradiarmos luz para aqueles que necessitam enxergar.

> "Viver! E não ter a vergonha de ser feliz.
> Cantar e cantar e cantar a beleza de ser um eterno aprendiz.
> Eu sei que a vida devia ser bem melhor e será!
> Mas isso não impede que eu repita: é bonita, é bonita e é bonita!"
> Gonzaguinha

AGRADECIMENTOS

Este livro não teria acontecido se eu não tivesse tido o apoio e incentivo de tantas pessoas queridas, que me diziam o quanto seria importante que eu compartilhasse tudo que aprendi durante o período em que fiz o tratamento contra o câncer.

Agradeço a minha família inteira, meus amigos, minha equipe e todos os profissionais da saúde que cuidaram de mim em algum momento durante minha jornada de cura, me incentivaram a escrever, a contar a minha história.

Todos foram fundamentais para que eu decidisse parar este tempo e colocar as minhas ideias e aprendizados no papel.

Quero fazer alguns agradecimentos especiais àqueles que foram mais do que amigos e familiares nestes últimos quatro anos de minha vida: foram verdadeiros presentes, cuidando de mim com um amor tão profundo que emociona.

Primeiramente quero agradecer a minha mãe Mirts, que cuidou de mim de todas as formas possíveis, renunciando a sua própria vida para estar ao meu lado em cada etapa dos tratamentos. Minha mãe também fez a revisão ortográfica deste livro, contribuindo com suas percepções para que a escrita ficasse da melhor forma possível. E o mais importante: minha mãe tem sido uma das minhas maiores companheiras de aprendizado nessa jornada. Ela me ouve com o olhar cheio de alegria, curiosidade e orgulho. Emociona-me. Minha gratidão a meu pai, que, com seu exemplo de força e caridade, me inspirou a direcionar minha energia para toda a contribuição que posso fazer ao mundo. Meu pai se dedica aos filhos com um amor realmente incondicional. Agradeço também à minha amiga, parceira de trabalho e sócia, Claudia Lisboa, que se tornou uma das pessoas mais importantes da minha vida, cuidando dos projetos que antes eu era responsável por entregar como consultora, cuidando de minha equipe sempre que se precisou de um apoio técnico mais intensivo, e estando presente em minha vida em inúmeros momentos importantes, sempre demonstrando seu mais completo e verdadeiro amor por mim.

Quero agradecer às minhas amigas Adriana, Alessandra, Andréa, Andreia, Evanice, Isabel, Kelida, Kelly, Paola, Patrícia e Susana, que não desgrudaram de mim desde o dia em que recebi o diagnóstico, fazendo parte de minha jornada de aprendizado, compartilhando comigo suas vidas e celebrando as conquistas do caminho, com muito amor e alegria.

Foram tantos os profissionais da saúde que cuidaram de mim, e eu sou tão grata a todos eles! Mas quero deixar aqui registrado um agradecimento especial ao meu médico oncologista, Dr. Cleberson Queiroz, por ter sido meu parceiro nesta jornada, me ouvindo, respeitando minhas escolhas, nunca ironizando ou duvidando de minhas crenças que, por muitas vezes, não estavam alinhadas com as dele. Fez toda a diferença para que eu me sentisse segura em saber que poderia contar com ele, meu querido médico. Agradeço imensamente também ao Dr. Buzaid que me acompanhou desde o início do diagnóstico, por suas orientações e encaminhamentos extremamente precisos e embasados nos mais atuais estudos e pesquisas mundiais sobre o tipo de câncer que tive.

Obrigada de todo o coração aos meus médicos integrativos, Dra Maria Cândida Coutinho Messias, Dra. Patrícia Valentini de Melo e Dr. Gustavo Vilela, por terem sido meus anjos nestes anos todos, me apoiando e orientando quanto às melhores decisões, medicações e tratamentos para minha cura completa. A todos que contribuíram com meu tratamento integrativo, enfermeiros, técnicos de enfermagem, fisioterapeutas, psicólogos, nutricionistas, professora de ioga e terapeutas: vocês foram fundamentais para meu bem-estar, e sou eternamente grata e lhes digo que carrego cada um de vocês em um lugar muito especial em meu coração.

Agradeço à minha irmã Ana Lucia, minha médica particular, que esteve comigo em todos os momentos, cuidando de minha saúde e de meu bem-estar, de todas as formas que ela conseguiu cuidar, sempre muito presente e amorosa. Às minhas irmãs Ana Beatriz e Eleonora, aos meus irmãos Alexandre e João Paulo, aos meus amorosos sobrinhos, aos meus cunhados e cunhadas, à minha amada sogra Maria Augusta e às minhas primas Sheila, Elen e Gisele; aos meus primos Carlos e Thiago, agradeço imensamente por seu amor e dedicação à minha cura, com suas orações e vibrações em todos os momentos. Um agradecimento especial à minha sobrinha Nathália, que coordenou todas as reuniões de domingo via Zoom.

Minha profunda gratidão a minha Tia Lana Alves, por seus ensinamentos, por sua serenidade, por sua linda luz que me ajudou a enxergar tanta coisa, a ver a verdade... A sua presença é um verdadeiro presente em minha vida. Quero agradecer à minha equipe de gestores do Grupo Valure, em especial aos que estiveram comigo ao longo das duas etapas do tratamento: Ana Beatriz, Crisley, Louise, Renato e Ugo.

Agradeço a todos os meus clientes, aos associados da Fundação Dom Cabral pela companhia amorosa durante a caminhada, me incentivando e vibrando em cada etapa.

A todos da equipe da Fundação, em especial ao presidente Antônio Batista, pela confiança inquestionável em minha cura e por todo o apoio que me foi dado durante meu tratamento, minha profunda gratidão.

Gratidão à minha querida mentora Patrícia Figueiredo, que me apoiou durante todos os anos de tratamento, compartilhando seus conhecimentos e me ajudando a tranquilizar o coração durante o processo de cura.

Às minhas amigas Alessandra, Evanice e Kelly, pelas noites de domingo em oração via Zoom com minha família, para que eu recebesse as vibrações de amor e cura, minha gratidão e amor eternos.

Aos meus primos Vânia e Sérgio, com suas queridas filhas Giovana e Marcela, por todo o carinho e cuidado para comigo e com Mário em todas as idas a São Paulo para exames e tratamentos.

Minha eterna gratidão ao meu esposo Mário, que sempre foi meu maior apoio, mesmo com seu perfil mais fechado, eu sempre soube que estaria ali para mim. Obrigada por sua presença em minha vida, por seu carinho, por sempre respeitar quem eu sou, por ter estado ao meu lado nos momentos mais difíceis de minha vida, por seu desejo de seguirmos em frente juntos, mesmo diante de tantos desafios.

Agradeço às minhas amadas filhas, Emanuela e Yasmin, que foram as maiores razões para que eu buscasse, no mais profundo do meu ser, forças para passar por todo o tratamento, forças para viver! Obrigada, meus amores, por serem filhas tão maravilhosas, tão carinhosas e amorosas. Eu as amo para sempre e desejo que a vida lhes seja generosa como tem sido para mim. Vibro todos os dias para que sejam muito, mas muito felizes. Que minha história lhes sirva de inspiração para que nunca deixem de acreditar em vocês mesmas, de seguir seus sonhos, de se amarem profundamente e de se conectarem com Deus, em todos os momentos de suas vidas.

UMA JORNADA DE CURA E TRANSFORMAÇÃO

BOM FUTURO

Meu mais profundo e sincero agradecimento para a Bom Futuro, empresa cuja relação profissional e de amizade se estende há quase duas décadas e que ajudou na viabilização da impressão dessa segunda edição do livro.

Uma empresa que está sempre procurando ser mais e mais relevante para a sociedade, não somente através de seus próprios produtos e serviços, mas, também, pelos projetos sociais em que atua.

Sua história de sucesso no cerrado Brasileiro teve início em 1982 e no decorrer de quatro décadas, entre desafios, ímpeto inovador, empreendedorismo e práticas sustentáveis, a Bom Futuro se tornou destaque em produtividade, contribuindo para alimentar, vestir e impulsionar o mundo.

LIVROS PARA REFERÊNCIA

1. ACHOR, Shawn. *O jeito Harvard de ser feliz.* Saraiva, 2012.

2. ALEXANDER III, Eben. *Uma prova do céu.* Sextante, 1997.

3. AXE, Dr. Josh. *Keto Diet.* Little Brown Spark, 2019.

4. CHOPRA, Deepak. *A cura quântica.* BestSeller, 2020.

5. DISPENZA, Dr. Joe. *Como se tornar sobrenatural.* Citadel, 2020.

6. DISPENZA, Dr. Joe. *Quebrando o hábito de ser você mesmo.* Citadel, 2019.

7. DISPENZA, Dr. Joe. *Você é o placebo.* Citadel, 2019.

8. GAWLER, Ian. *You can conquer cancer.* Michelle Anderson Publishing, 2013.

9. GOLEMAN, Daniel; DAVIDSON, Richard J. *A ciência da meditação.* Objetiva, 2017.

10. MCKEOWN, Greg. *Essencialismo.* Sextante, 2015.

11. MOORJANI, Anita. *Morri para renascer.* Pensamento, 2014.

12. PREETHAJI, Krishnaji. *Os quatro segredos sagrados para o amor e a prosperidade.* BestSeller, 2020.

13. SERVAN-SCHREIBER, David. *Anticâncer.* Fontanar, 2011.

14. SINATRA, Stephen T.; ROSA, Tommy. *As 8 leis espirituais da saúde*. Sextante, 2017.

15. SINEK, Simon. *O jogo infinito*. Sextante, 2020.

16. SUNIM, Haemin. *As coisas que você só vê quando desacelera*. Sextante, 2017.

17. TURNER, Kelly A. *Remissão radical*. Alaúde Editorial, 2015.

18. WALLACE, B. Alan. *Felicidade genuína*. Lúcida Letra, 2015.

19. WILLIAMS, Mark; PENMAN, Danny. *Atenção plena*. Sextante, 2015.

20. YOGANANDA, Paramahansa. *Autobiografia de um iogue*. Self-Realization Fellowship, 2013.